여름날에 핀 곰팡이 심정

차례

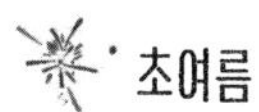

초여름

한여름

늦여름

초여름의 라롤라

키 큰 남자는 아침마다 무용사가 된다. 탱고를 추듯 빠르게 발을 구르면서 돌아다닌다. 다시 그는 곡예사가 된다. 넙적하고 커다란 발로 몸의 중심을 잡으면서 양말을 신고, 삐걱거리는 나무 바닥에서 어젯밤 던져 둔 셔츠를 주워 입는 동시에, 의자에 걸쳐져 있던 챙이 짧은 모자를 잡아채 머리에 얹는다.

한편, 남자 키의 절반만 한 라롤라는 목젖이 보일 정도로 하품을 늘어지게 하면서 느릿느릿 방을 나왔다. 다리 길이보다 긴 바지를 질질 끌면서도 삐걱거리는 나무 바닥을 질주하고 있는 남자를 익숙하게 샥, 피하며 의자에 앉았다. 판자로 만들어진 엉성한 식탁에 철퍼덕 상체를 엎드리곤 짧은 다리를 흔들자, 중심이 맞지 않는 나무 다리가 리듬에 맞추어 덜컹거렸다. 남자는 그런 라롤라가 짜증 난다는 듯 식탁 모서리를 콱 누르며 리듬의 흐름을 끊고 말했다.

"오늘도 늦는다."

그러곤 라롤라 앞에 푸석한 보리빵 한 조각과 사과 한 알을 놓고 홱 등을 돌렸다.

"아."

라롤라는 남자를 향해 손을 뻗었지만 문이 닫히는 속도가 더 빨랐다.

"흠— 신발 끈 풀렸는데."

라롤라는 고개를 설레설레 흔들며 눈앞의 보리빵을 손가락으로 꾹꾹 눌렀다. 빨간 사과도 식탁 위에 데굴데굴 굴리며 먹지 않고 괴롭혔다. 식탁에 말캉한 볼을 대고 삐쭉 내민 입술은 코끝과 닿을 정도로 솟아 있었다.

그리고 식탁 모서리부터 부지런히 걸어오던 개미가 보리빵 꽁무니에 다다랐을 때쯤이었을까. 누군가가 밖에서 문고리를 쾅쾅 내리치며 외쳤다.

"이리 오너라!"

라롤라는 고개를 벌떡 들곤 지체 없이 문을 활짝 열었다. 문밖에서 햇빛에 반짝거리는 밀색 머리의 소녀가 활짝 웃는 얼굴로 라롤라를 반겼다.

"늦었잖아, 키키!"

"갔니?"

동글동글한 핑크색 가방을 감싸 안고 주변을 살피며 판잣집에 들어오는 키키는 수상한 도둑을 연상케 했다. 하지만 리본과 프릴이 잔뜩 달린 고운 산딸기색 드레스를 입은 키키는 누가 보아도 부잣집 요조숙녀였다.

"요란스럽게 불러 놓곤, 눈치는 뭐 하러 보니?"

라롤라는 식탁의 개미를 탁탁 바닥으로 내친 뒤 키키에게 의자 반쪽을 내어 줬다. 둘은 궁둥이를 반쪽씩 사이좋게 나눠 앉고는 킬킬 웃어 댔다. 어깨를 나란히 붙이니 라롤라의 푸석한 검은 머리칼과 키키의 찰랑거리는 금발이 한데 섞였다.

키키는 가방에서 부드러운 흰색 밀빵과 오렌지 마멀레이드 잼, 클로티드 크림 한 덩이, 그리고 흰 우유를 꺼냈다. 둘은 입안에 빵을 가득 물고도 대화를 멈추지 않았다.

"있잖아, 키키. 너네 집 어른도 맨날 아침밥도 못 먹을 정도로 그렇게 바쁘니?"

"우어 머글티."

"뭐?"

키키가 꿀떡 크게 삼키곤 재차 답했다.

"그렇지 뭐. 덕분에 너랑 만나서 같이 아침 먹잖아."

"난 점심도 저녁도 혼자 먹어."

"흠, 라롤라. 어른이 바쁜 건 살아가기 위해 어쩔 수 없는 거야."

"으— 난 잘 모르겠어. 그렇다고 하기엔 어른은 집에 돌아오면 맨날 누워만 있는걸? 천장만 보면서 코만 골지. 사실은 영원히 잠만 자는 게 소원인 것처럼 말이야."

"하긴, 우리 집 어른들도 맨날 '죽겠어— 정말'이란 말만 하면서 침대에 누워만 있긴 해."

라롤라가 최근에 배운 "아이러니야."라는 말을 세 번 반복하며 고개를 설레설레 흔들었다. 키키는 "우리 라롤라, 어른 다 됐네."라며 작은 머리를 마구 헝클어 댔다. 동갑인 주제에 항상 어린애처럼 대한다며 라롤라는 입을 삐쭉 내밀었지만 내심 기분이 좋았다. 라롤라는 어른이 싫지만 얼른 어른이 되고 싶었다.

"키키, 난 이제 계란 프라이도 혼자 해 먹는다?"

✦

"데보라가 올 시간이야."

키키가 창문 밖을 바라보며 손가락으로 해의 높이를 가늠하더니 말했다.

"그 깐깐한 가정 교사? 좀만 더 있다 가지……."

"네 말대로 엄청 깐깐해서 안 돼. 전에는 말이야, 무릎에 붙은 잔디 조각을 보더니 어디 나갔다 왔느냐고 묻더라."

키키는 몸을 움츠리고 부르르 떠는 체하며 문을 나섰다. 그러곤 키키의 무릎까지 무성히 자란 잔디를 헤치며 옆집과 맞닿아 있는 벽돌 담장 아래로 향했다. 키키네 집은 사잇마을에서 유일한 벽돌집이었다. 라롤라네 집은 퀴퀴한 크레파스 냄새가 나는 판잣집이었지만, 키키네 집 옆에 바짝 붙어 있는 덕에 한쪽 담장은 벽돌, 나머지 세 쪽은 나무였다. 서로 다른 자재가 만나는 탓에 생긴 모서리 밑의 작은 개구멍이 키키가 라롤라를 만나러 오는 작은 문이었다. 스무 채 정도가 모여 살 정도로 작고 영세한 사잇마을에서 꼬맹이는 라롤라와 키키가 유일했기에, 그 구멍을 드나들 수 있는 건 둘뿐이었다.

키키는 빨간 드레스 자락을 한 손으로 모아 쥐어 엉금엉금 기어갈 준비를 했다. 반짝이는 머리카락이 바닥에 닿을 때쯤 "아차!" 하며 벌떡 일어나 라롤라에게 말했다.

"귀신같은 데보라 얘기를 하다가, 중요한 걸 까먹을 뻔했어."

"뭔데?"

"그, 우리 마을 입구 옆에 오솔길 알지?"

"응, 어두운 숲속으로 들어가는 곳 말이지? 어른들이

절대 들어가면 안 된다고 신신당부했잖아.”

“맞아. 내가 드디어 알아냈어. 왜 들어가면 안 되는지!”

“왜 안 되는데?”

“알고 싶니—?”

“아, 좀! 빨리 말해 봐!”

라롤라가 키키의 손을 잡고 붕붕 흔들자 키키는 킥킥대더니 라롤라의 귀 옆에 바짝 얼굴을 가져다 대고 말했다.

“글쎄, 사람을 잡아먹는 눈깔 괴물이 있대!”

“눈깔 괴물?”

“그렇대두! 얼굴은 없고, 커다란 눈깔만 둥둥 떠 있대! 그뿐만이 아니야. 숲속에 들어오는 사람의 소원을 이루어 주고는 그 사람의 가장 소중한 것을 빼앗아 간대.”

“어! 그거 소원을 이루어 주는 마녀 이야기 아냐?”

“맞아. 근데 책 속 마녀는 엄청 엄청 미인이라고 했잖아? 눈깔 괴물은 무지 추하게 생겼을 거야. 으— 생각만 해도 징그러워. 하여튼, 내가 어른한테 들은 거니까 확실해. 어른들은 다 알고 있고 틀린 말도 안 하니까.”

키키는 등 뒤로 넘겨 두었던 가방에 손을 넣어 마구 휘젓더니 신문지에 싼 네모난 덩어리를 라롤라의 손에 쥐여 줬다. 주섬주섬 부스럭거리는 종이 자락을 펼치자 향긋하고 고소한 빵 냄새가 뿜어져 나왔다. 라롤라의 눈이 번쩍 뜨였다.

"카스텔라잖아!"

"지금껏 숲속에만 박혀 있던 눈깔 괴물이 마을을 돌아다니는 걸 봤다는 어른이 있대. 혹시 눈깔 괴물이 널 찾아오거든 주도록 해, 라롤라. 절대 다 먹어 버리지 말고!"

카스텔라는 어른들까지도 탐내는 간식이었다. 쿰쿰한 냄새만 가득한 마을에서 느끼한 버터와 달콤한 바닐라빈 향기가 풍기는 집은 키키네 집밖에 없다. 그러니 카스텔라는 마을 안에서만큼은 무엇과도 바꿀 수 있는 엄청난 물건이었다. 라롤라는 소중한 카스텔라가 부서질세라 조심히 손에 얹고 붕붕 고개를 끄덕였다.

✦

라롤라는 부슬부슬한 흙이 묻은 발끝을 털어 내며 살금살금 집 안으로 들어왔다. 어두컴컴한 밤이 되기 전까지 라롤라 말고 달리 누가 있는 건 아니었지만 키키가 몰래 다녀간 뒤에는 이상하게 조용히 해야 될 것만 같았다. 라롤라는 제 방에 들어가자마자 침대 위에 조심히 카스텔라부터 내려놓았다. 그러곤 카스텔라에 코를 가까이 가져다 대고 숨을 크게 들이켰다. 보리의 구수함과는 다른 고소한 냄새. 비싼 설탕을 아낌없이 태운 것만 같은 강렬한 달큰함. 포동포동한 자태는 보기만 해도 행복했다. 라롤라는 미간에 주름까지 만들며 손으로 정확히 카스텔라를 절반으로 갈랐다.

키키는 틀린 말을 하지 않는다. 키키네 가족은 엄청 똑똑해서, 키키도 무지하게 박학다식하다. 라롤라는 박학다식하다는 말도 키키에게 배웠다. 눈깔 괴물 같은 건 본 적 없지만 키키가 조심하라면 조심하는 게 맞는 거다. 라롤라는 카스텔라 반쪽을 사랑스럽게 바라보다가 크게 한 입을 베어 물었다.

"으―음―!"

라롤라는 볼에 손을 대곤 황홀한 표정을 지으며 펄쩍펄쩍 뛰었다. 달콤하고 커다란 구름을 입에 넣은 것처럼 살살 녹았다. 특히 맨 위에 탄 나뭇가지 색을 띠는 부분은 귀하디귀한 벌집 조각 같은 황홀한 맛이 났다. 라롤라는 순식간에 반쪽을 다 먹고는 손가락에 붙은 끈적이는 가루까지 핥아 먹으면서 침대 위에 고이 올려 둔 카스텔라를 노려보았다.

저 윗부분만이라도 떼어 먹으면 더 더 행복할 텐데.

라롤라는 눈앞에 동동 떠다니는 키키의 얼굴을 무시

하지 못하고 침대 옆 바닥에 그대로 풀썩 등을 대고 누워 버렸다.

"아쉽다, 아쉬워."

초여름의 차가운 바닥이 뜨끈한 라롤라의 체온과 만나 데워졌다. 언제 갈았는지 기억도 안 나는 두텁고 꼬질한 침대 이불보다야 차디찬 바닥이 좋았다. 언제까지고 누워 있어도 좋을 찬 바닥에 등을 충분히 식힌 뒤 뒹굴, 몸을 뒤집었다. 어른이 붕붕 휘두르는 파리채에 맞아 벽에 착 붙어 버린 먼지다듬이 마냥 바닥에 붙어 버린 라롤라는 그대로 잠에 들었다.

✦

창문에서 벽을 따라 내려오던 푸근한 햇볕이 사라지고 주홍색 빛이 스르륵 등을 비출 때, 라롤라는 눈을 떴다. 자유를 찾아 여행을 떠났던 영혼이 한 뼘, 두 뼘, 몸으로 끌려 들어왔다. 라롤라는 눈을 끔벅이며 흐리멍덩하게 앞을 바라보다가 뻐근해진 몸을 뒤집었다. 낮의 열기는 온데간데없어 몸이 부르르 떨렸다. 라롤라는 눈을 비추는 따뜻한 빛의 온기를 찾아 턱을 치켜들었다.

그리고, 그것과 눈이 마주쳤다.

눈이 있었다. 창문을 가득 채우는 눈이다. 토마토 빛

깔로 번들거리는 눈이다. 눈이 라롤라의 몸을 훑는다.

라롤라의 눈,

턱,

가슴,

다리,

발끝.

몸이 눈길을 따라 얼어붙었다. 방 안이 시린 한기로 가득 차서 입김이 나올 것만 같았다. 그런데도 등골엔 땀이 주르륵 흐르고 몸은 후들후들 떨렸다. 라롤라는 몸을 녹일 뜨끈한 침대 이불에 다가갈 수 없었다.

잡아가지 마세요. 저 맛없을 거예요. 착하게 살게요.

입은 뻐끔대는데 말이 나오질 않았다. 그러다 침대 위에 올려 둔 카스텔라 반쪽을 발견했다. 키키가 눈깔 괴물을 만나면 건네주라고 했던 것을 떠올렸다. 손끝과 발끝이 찌릿찌릿했지만 라롤라는 발바닥으로 굳건히 바닥을 지탱하고 일어나서 팔을 뻗었다.

"이…… 이거……."

라롤라는 푸석해진 카스텔라를 눈깔 앞에 들이밀었다. 괴물은 라롤라에게서 카스텔라로 눈길을 옮기더니 동그랗던 눈을 초승달 모양으로 휘었다. 꼭 괴물이 웃고 있는 것만 같았다.

그 때, 방 밖에서 발을 구르는 소리가 들려왔다. 방문 틈 사이로 일렁이며 흔들리는 촛불이 보였다. 어른이 돌아왔다.

다른 기척을 느낀 눈깔은 천천히 눈꺼풀을 닫았다. 그러자 붉은빛이 사라지고 방 안에 어둠이 내려앉았다. 아무것도 보이지 않는 어둠 속에서 라롤라의 귓가에 다정한 목소리가 들려왔다.

"아해야. 넌 무얼 갖고 싶니?"

다시금 눈앞이 밝아졌을 땐 눈깔 괴물도, 카스텔라도 사라져 있었다.

✦

라롤라는 여느 때보다 키키를 기다렸다. 어른이 "오늘도 늦는다."라는 말을 하자마자 집 밖으로 뛰쳐나가 개구멍 앞에 쪼그려 앉아 키키가 머리를 내밀기를 기다렸다.

반짝이는 밀색이 보이자마자 왁! 하고 놀래킨 다음, 어제 있었던 이야길 해야지. 눈깔 괴물이 날 찾아왔다고. 진짜 진짜 무서웠지만 난 동화 속 기사님보다 용감하게 일어서서 괴물에게 맞섰다고. 그랬더니 눈깔 괴물은 너무 예쁜 초승달 모양으로 웃더니 내가 아는 어른

중 가장 예쁜 목소리로 소원을 물어봤다고. 그러면 넌 가슴을 내밀고 어깨를 으쓱거리며 모두 카스텔라 덕분이라고 하겠지. 난 그래그래, 다 네 덕분이야, 라고 말할 거야. 그리고 함께 모험을 떠나자고 할 거야. 생각보다 눈깔 괴물은 무섭지 않은 것 같아. 아니, 착할지도 모르겠어. 사실은 어른들의 말이 틀렸을지도 몰라. 나랑 오솔길로 들어가 보지 않을래? 네게 말하고 싶어서 밤잠을 어찌 잤는지 몰라.

여름의 초입. 낮볕이 따스한 그 날, 라롤라의 연둣빛 눈동자가 반짝거렸다. 심장이 튀어나올 것처럼 두근거리고 숨이 벅차올랐다.

하지만 개구멍에서 밀색 머리가 나오는 일은 없었다. 해가 정수리 위로 올라왔을 때쯤, 그러니까 뱃속에서 천둥이 칠 때쯤, 기다리다 못한 라롤라는 개구멍 반대편을 향해 머리를 집어넣었고 풀숲 아래에 놓여 있는 쪽지를 발견했다.

한동안 네 집에 가지 못할 거야.

귀신 마녀한테 들켰어.

나 없어도 울면 안 돼?

추신. 눈깔 괴물이 어젯밤에 나타났대!

카스텔라를 다 먹어 버린 건 아니겠지?

"그 괴물을 내가 봤다고!"

라롤라는 괜한 잡초만 쑥쑥 뽑아 대며 씩씩거리다가 집 안으로 들어갔다. 그러곤 벽난로 아래에서 탄 장작 조각을 골라 집어 쪽지에 삐뚤삐뚤한 글자를 덧붙여 쓰고는 두 번 접어 다시 개구멍 아래에 두었다.

눈깔 괴물이 카스텔라를 가져갔어!

괴물인데도 목소리가 무지 예쁘다?

추신. 난 눈깔 괴물을 다시 만나러 갈 거야!

✦

다음 날, 어른이 또 "오늘도 늦는다."라고 말하고 나갔다. 라롤라는 푸석푸석한 보리빵 한 쪽을 먹는 동안 키키를 기다렸다. 하지만 키키는 식탁 위의 개미가 빵가루를 훔쳐 도망칠 때까지 오지 않았다.

라롤라는 보자기에 사과 한 알을 넣어 감싼 뒤 등에 둘렀다. 우물가에 물을 푸러 갈 때를 빼곤 신을 일이 없는 꼬질꼬질한 신발에 발을 넣어 보았지만 엄지발가락이 접히는 걸 보고는 신발은 고이 벗어 두고 현관을 나섰다.

가벼운 발걸음으로 마당의 잔디를 지르밟았다. 부슬

부슬한 잔모래가 발가락 사이를 가볍게 오가는 느낌조차 자유롭게 느껴졌다. 마당을 감싸고 있는 나무 울타리를 벗어나는 것은 너무나 쉬운 일이었다.

어른들의 눈을 피할 필요도 없었다. 이곳, 사잇마을은 커다란 도시 사이를 잇는 숲속 작은 마을이다. 도시 사이에 위치한 만큼 많은 이들이 거쳐 가지만 정을 갖고 오래 머무르는 사람은 없다. 마을의 어른들조차 대부분 도시로 나가 일을 하고 잘 때가 되어서야 돌아오곤 했다. 온정과 축제가 없는 마을에서 서로에게 애정을 갖고 있는 건 키가 비슷한 라롤라와 키키가 유일했다.

라롤라는 키키네 벽돌집 앞에서 잠시 머뭇거렸다. 커다란 창 너머로 피아노를 치고 있는 키키가 보였다. 키키의 옆에 서 있는 가정 교사 데보라는 흰색 블라우스를 입고 있었다. 보석이 박힌 리본을 목에 매고, 머리는 봉긋하고 가지런하게 정리했다. 키키가 치는 피아노 소리가 문밖까지 울려 퍼졌다. 지금껏 들어 보지 못한 예쁜 소리였다. 데보라의 고상한 웃음소리도 바람을 타고 들려왔다.

귀신 마녀라더니.

라롤라는 고개를 휙 돌리곤 몸을 부풀린 채 마을 입구로 향했다. 제일 끝 집인 라롤라의 집에서부터 스무 채를 지나쳤다. 맨발의 라롤라를 막아서는 사람도, 인사를 건네는 사람도 없었다. 너무나 쉽게 마을 입구에 다다를 수 있었다.

들어가선 안 된다고 어른들이 신신당부하던 오솔길의 입구는 낡은 판자 조각으로 만든 엉성한 울타리만이 가로막고 있었다. 울타리 너머의 바닥은 비가 오지 않았는데도 젖어 있었다. 마치 '네 무릎까지 진흙탕이 될 텐데, 감수할 만한 소원이 있는 거니?'라고 묻는 것만 같았다.

"아이는 어른 없이 돌아다녀선 안 돼."

매일같이 살금살금 라롤라네 집으로 놀러 오던 요조숙녀 키키는 아이러니하게도 강조하곤 했다. 라롤라가 "넌 우리 집에 몰래 오잖아?"라고 반박하면 "여긴 우리 집이랑 딱 붙어 있는걸. 돌아다닌 게 아니야. 건너온 거지."라는 완벽한 말이 돌아왔다. 라롤라는 하고 싶은 말을 씹어 삼키듯 되뇌기만 할 뿐이었다.

넌 귀신 마녀도 있잖아. 피아노도 배우고, 어른이 공놀이도 같이 해 주잖아. 인형도, 책도 많잖아.

라롤라는 다리를 번쩍 들어 울타리에 걸쳤다가 포기하고, 쭈그려 앉아 엉금엉금 울타리 아래로 기었다. 부스스한 긴 머리가 그대로 바닥에 떨어져 진흙이 달라붙었고, 꼬질꼬질하지만 아직 흰색을 띠고 있던 면 잠옷은 질척한 갈색이 되어 버렸다. 그래도 라롤라는 멈추지 않고 나아갔다. 한 걸음, 두 걸음…….

눈깔 괴물도 질척거리는 발로 우리 집에 찾아왔을까?

얼마나 걸었을까, 흙길이 끝나고 물기 어린 풀로 가득한 바닥이 시작됐다. 푸릇푸릇한 어린 고사리 풀이 가득했다. 이제는 더 이상 오솔길이 아니었다. 말하자면 질긴 풀들이 얼기설기 얽힌 동굴이었다. 어른은 엉금엉금 기어야 겨우 지나칠 수 있을 만큼 통로가 작았다. 라롤라는 사과가 담긴 보자기 짐을 가슴 앞으로 고쳐 매고 다시 기기 시작했다.

"눈깔 괴물은 어떻게 우리 집까지 온 거야?"

라롤라는 구시렁거리면서도 꾸준히 앞으로 나아갔다. 빛이 새어 들어오는 통로 끝을 향해 계속해서 기었다. 다행히 거친 풀들로 만들어진 것만 같았던 통로의 안쪽은 부들부들한 이파리와 작은 꽃잎들로 채워져 있어 무릎이 아프진 않았다. 라롤라의 눈앞에 빛이 점점 강렬하게 들이차기 시작했다.

초록색 동굴을 헤치며 나오게 된 곳은 빛으로 가득했다. 따뜻한 햇빛이 이곳만을 비추고 싶어 하는 듯 동그랗게 통로 끝의 공간을 비추고 있었다. 울창한 나무가 울타리가 되어 준 가운데엔 통나무로 지은 웅장한 느낌의 오두막이 자리하고 있었다. 오두막 주변으론 이파리 하나 없이 직선으로 뻗은 자작나무만이 하늘에 닿을 듯 스산하게 자라 있었다.

조심히 오두막에 다가가 봤지만 창문은 모두 청록색 커튼으로 가려져 있었다. 라롤라는 하는 수 없이 정가운데의 문 앞에 서서 외쳤다.

“누구 계세요?”

고요하던 오두막 안에서 터벅, 터벅, 발걸음 소리가 들려왔다. 등줄기에서 땀이 주룩주룩 흘렀지만 라롤라는 가슴팍 앞에 대롱대롱 매달려 있는 보자기 짐을 꼭 껴안고 문이 열리길 기다렸다. 문고리가 달칵, 날 선 쇳소리를 내며 나무 문이 열렸다.

내리깐 시야에 어른의 발이 보였다. 눈을 서서히 올리자 저항 없이 축 처진 기다란 푸른 옷자락, 문고리를 붙잡고 있는 마른 나뭇가지 같은 팔, 그리고 아무것도 지탱하고 있지 않은 목이 보였다. 그 위엔 둥둥 떠 있는 거대한 눈알 하나. 어두운 오두막 내부로 문밖의 햇볕이 쏟아져 내려 선홍빛 눈깔이 번들번들 빛이 났다. 거대한 고목같이 키가 큰 눈깔 괴물은 남자인지 여자인지조차 알 수 없었다. 알 수 있는 거라곤 그가 어른이란 것뿐이었다.

라롤라의 팔과 다리는 이미 의지와 상관없이 지진이 난 것처럼 후들거렸다. 하지만 곧, 여기까지 찾아오게 만들었던 미성이 들려왔다.

"아해야. 소원을 빌러 왔니?"

괴물의 눈꺼풀이 반쯤 감기며 예쁜 초승달을 그렸다.

"그전에 네 무릎과 발을 깨끗이 해야겠구나. 진흙 덩이와 풀이 뒤엉켜서 금방이라도 널 튀겨 먹어도 될 것 같은 모양새야."

눈깔 괴물의 눈이 감겼고, 다시 붉은 동공이 보이자 푸른빛이 주변을 가득 채웠다. 찰랑거리는 시원한 물소리가 들리더니 머리와 무릎에 달라붙은 진흙들이 떨어져 나갔다. 곧이어 라롤라의 머리카락과 옷에선 햇볕 냄새가 났다.

"마, 마법!"

라롤라는 키키의 머리카락처럼 부드럽고 꽃향기가 나는 제 머리칼에 코를 묻고 킁킁대다가 번쩍 고개를 들어 말했다.

"괴물, 아니, 마법사님! 제 소원은 이게 아닌데요!"

"넌 오들오들 떠는 토끼 같으면서 배짱이 두둑하구나. 이건 여기까지 찾아온 꼬마 손님에게 주는 선물이란다."

살점 없이 마른 팔이 크게 호를 그리며 문 안쪽으로 라롤라를 안내했다. 라롤라는 둥둥 떠 있는 눈깔에게서 눈길을 거두고 오두막 안으로 조심히 발을 내디뎠다. 오두막 바깥은 분명 눈부신 햇볕으로 가득 차 있었는데,

높은 천장의 틈새에선 푸른 달빛이 새어 들어왔다. 향긋한 과일과 허브가 담긴 술들과 오래된 책들이 고목으로 만든 선반을 가득히 채우고 있었다. 그뿐이랴, 시원한 향을 내뿜는 물 담배와 향수까지. 천장엔 색색깔의 귀한 보석들로 만든 발이 드리워져 끊임없이 반짝거렸다. 그의 오두막은 축제라도 열린 듯 정신없고 두근거리며 동시에 아늑한 곳이었다.

등 뒤로 나무 문이 저절로 닫히고 의자가 네 발로 뒤뚱뒤뚱 걸어오더니 라롤라의 엉덩이 뒤에 멈춰 섰다. 책이 찻주전자에게 쫓겨나듯 옆으로 밀쳐지고, 정체 모를 차가 호로록 찻잔을 채웠다. 모든 것은 눈깔 괴물, 아니 마법사의 손짓 하나로 이루어졌다.

"앉거라."

라롤라의 몸이 두둥실 떠올라 대답하기도 전에 앉혔다. 눈앞엔 진저브레드 쿠키가 웃는 얼굴로 둥실둥실 떠다녔다. 라롤라는 쿠키를 집어 들고선 입안에 넣었다. 부드럽고 다디단 카스텔라와는 다른 강렬한 생강 맛이 혀끝을 자극했다. 하지만 매움을 느끼기 전에 꿀의 단맛이 입안을 감쌌고 턱은 마음대로 움직이며 바삭바삭함을 즐겼다. 라롤라는 어느샌가 테이블 위에 산더미같이 쌓여 있는 쿠키를 다람쥐처럼 볼에 가득 넣느라 바빴다.

"그래, 아가. 넌 무얼 갖고 싶니? 아님, 무엇이 되고 싶니. 무엇이든 말해 보렴."

"소웡니용?"

라롤라가 진저 쿠키로 가득 찬 볼을 위아래로 움직이며 말했다. 머리가 있어야 할 자리에 눈깔만 동동 떠 있는 마법사는 어디서 소리를 내는 건지 어깨까지 들썩이며 쿡쿡 웃어 댔다.

"그래, 아가. 이곳에 오는 이는 같은 사연이 없지. 너 같이 어린 손님을 받아 본 적은 없다만, 이곳에 온 이상 너도 다른 손님들과 다를 바 없나 보구나. 사람들은 사랑하고, 사랑받기 위해 이곳에 와서 소원을 빌지. 지금 너는 소원은 안중에도 없고 쿠키만 축내고 있지만 말이야. 영원히 쿠키가 쏟아져 나오는 주머니를 주랴?"

라롤라는 입안에서 쿠키 반죽이 된 덩어리를 꿀떡 삼키며 말했다.

"아니에요. 이 쿠키, 진짜 진짜 맛있지만 다른 소원이 있어서 왔어요. 꼭 이루고 싶은 소원이요."

"말해 보련. 나는 쿠키가 아닌 금은보화가 쏟아지는 주머니를 줄 수도 있고, 오늘 죽을 시한부의 환자를 누구보다 건강한 몸으로 만들어 줄 수도 있다. 하지만 소원의 정도에 따라 네가 가장 소중히 여기는 것을 가져가지. 그래, 네 소원은 뭐지?"

눈깔이 라롤라의 얼굴 앞에 다가오자 사방이 고요해

지고 온 세상이 붉어졌다. 라롤라는 숨을 크게 들이마시고 마법사에게 말했다.

"난 가족이 갖고 싶어요."

눈깔의 모양이 샐쭉해졌다.

"……그건 들어줄 수 없겠는데. 다른 건 없니? 가족 같은 것보다 널 재밌고 행복하게 해 줄 무언가 말이야."

"다른 건 필요 없어요. 카스텔라도 쿠키도 좋지만……. 나만 가족이 없는걸요."

"너 같은 어린아이가 혼자 살진 않을 텐데?"

"혼자 살진 않아요. 하지만 가족은 아니에요. 제 친구 키키는 보물 1호가 가족인데, 같이 놀고 먹고 자고 해야 가족이라고 했어요."

"그건 너와 네 친구가 찬장만 한 곳에서 살고 있어서 그렇단다. 분명 몸이 커지면 너도 네 친구도 보물 1호를 가족이라 말하지 않을걸? 어른들의 세상은 아주 아주 넓단다, 아가야."

"얼마만큼요?"

"너희가 평생 쉬지 않고 뛰어다녀도 모두 보지 못할 정도지."

"헥—!"

"그만큼 위험한 것투성이이기도 해. 평화롭게 잠을 자다가도 우루루 쏟아지는 비에 휩쓸려 집이 날아갈 수도 있고, 신이 나서 수영을 하다가 발이 땅에 닿지 않아서 가라앉을 수도 있단다. 그럴 때조차 보물 1호를 가족이라 말할 수 있을까? 역시, 네가 나와 소원 계약을 하기엔 너무 이른가 보구나. 쿠키라도 양껏 싸 줄 테니 이만 돌아가렴."

양손에 쿠키를 잡고 땡글땡글한 눈으로 마법사의 말을 듣던 라롤라는 절망했다. 어깨를 웅크리곤 잠시 아무 말이 없던 라롤라는 웅얼거리며 건너편에 앉아 있는 마법사에게 말했다.

"내 카스텔라를 가져갔잖아요."

마법사는 느슨하게 축 처진 어깨를 으쓱해 보였다. 그는 금방이라도 하품을 할 듯이 반쯤 감은 눈을 끔뻑거렸다. 하품할 입은 없었지만.

"너도 내가 준 쿠키를 먹었잖니? 그 손을 좀 들여다보련?"

"하지만 제 카스텔라는 그날 저한테 가장 소중한 것이었어요. 그날 소원을 빌었다면 보답으로 카스텔라를 드려야 할 만큼 말이죠. 마법사님한테 쿠키는 별것 아닌 거잖아요, 그죠? 그냥 선물인 거죠. 그러니 제 소원을 들어주세요. 매일 하나만 먹을 수 있는 사과도 드릴게요. 제가 아침마다 가장 아껴 먹는 거예요."

라롤라는 가슴팍에 불룩 튀어나와 있던 보자기 짐에

서 잘 익은 빨간 사과 한 알을 내밀었다. 마법사는 눈물이 가득 찬 강렬한 눈빛을 바라보다가 한숨을 푹 내쉬며 사과를 집어 들었다.

"……그래. 딱 네 카스텔라 반쪽과 사과 한 알만큼의 부탁을 들어주마. 난 네 일생의 소원이 아니라, 꼬맹이의 소소한 부탁을 들어주는 거야. 이 여름이 지날 동안만 내가 네 가족이다. 만족하겠니?"

라롤라의 뺨이 사과처럼 발그레해지며 만면에 웃음이 가득 찼다. 라롤라는 가슴을 크게 부풀리며 말했다.

"제 이름은 꼬맹이가 아니라 라롤라예요, 마법사님!"

"그래 그래, 라롤라. 내 이름도 마법사님이 아니라 미네르바란다. 편하게 미네라고 부르렴."

"좋아요, 미네!"

가족이 갖고 싶다니. 미네르바는 그것만큼 허무하고 거대한 소원도 없다고 여겼다. 가족을 살려 달라, 혹은 가족을 죽여 달라 말하는 이는 보았어도 제게 가족을 달라니. 작은 강아지 한 마리를 데려다가 "이게 네 가족이란다."라고 달래며 보낼 수도 있었지만 라롤라는 그 정도로 어리지는 않았다. 더군다나 철저한 등가 교환의 마법 규칙 속에서 '가족'은 어떤 대가를 불러일으킬지 가늠이 가질 않았다.

라롤라가 미네르바의 눈앞에서 손뼉을 짝! 치더니 말

했다.

"미네! 나도 미네의 부탁 하나를 들어줄게요. 내가 할 수 있는 것이라면 무엇이든!"

미네르바는 커다란 눈깔을 데구룩 위를 향해 굴리며 고민하는 듯하더니 낮고 다정한 목소리로 말했다.

"넌 그럼 내게 즐거움이란 걸 주련?"

"내가 제일 자신 있는 일이에요! 키키는 우리 마을에서 나랑 놀 때가 가장 재밌다고 했거든요."

라롤라는 가슴을 팡팡 두들기며 자신했다.

"쉽지 않을 거다, 아가. 긴 세월을 산 이에게 즐거움이란 망망대해에서 하염없이 첨벙거리는 것만 같거든. 쓸데없는 아집만 늘어 가고, 손이 닿지 않는 것만 반짝여 보이기 마련이지. 이를테면 이 오두막과 이어진 오솔길 끝엔 아름다운 호수가 있단다. 나를 무서워해, 모두가 가지 못하게 된 곳 말이지. 난 그 호수를 독점해서 매 여름을 호사스럽게 보냈단다. 마을 사람들은 반짝거리는 여름 호수를 볼 수 없다며 아쉬워하면서도, 분명 모기투성이에 물비린내로 가득한 곳일 거라며 자기 위로를 택한단다. 삶은 그런 법이야."

"무슨 말인지 모르겠지만 대충 알 것 같아요. 사람은 몸뚱이가 커지면 마음이 작아진다고 하더라구요."

"누가 그래?"

"키키가요."

"……박학다식한 친구구나. 라롤라와 키키. 너희 이름은 하나같이 특이한데, 무슨 의미라도 있는 거니?"

"아뇨. 그런 건 없어요. 그냥 우리가 서로를 볼 때 항상 웃어서 즐거운 이름을 붙인 것뿐이에요."

"그럼 그 친구의 이름은 키키가 아니겠구나."

"아뇨? 키키는 키킨데요?"

"……그래."

"미네르바는 마법사님이라서 그런지 이름도 엄청 멋있는 것 같아요."

미네르바는 테이블에 쌓여 있는 쿠키로 차곡차곡 산을 쌓으며 시큰둥하게 답했다.

"난 너희 이름이 더 멋있고 부럽구나. 그럴듯한 이름이어 봤자, 내 이름을 부르는 사람들은 하나같이 화가 나 있거나 슬피 울고 있거든. 내 이름이 다른 이의 입 밖에 나올 땐 위협하고, 협박하고, 애원하기 위함이지. 누구도 내 이름을 몰랐으면 좋겠다고도 생각한 적이 있다."

미네르바는 앞에 앉아 있는 라롤라의 작고 둥근 머리통을 손으로 문질렀다. 그는 눈깔뿐이었지만 라롤라는 그의 상기된 목소리와 반쯤 눈꺼풀로 덮인 눈이 슬퍼 보인다고 생각했다.

"그치만 나한텐 이름을 알려 줬잖아요?"

"……편의상 그런 거지. 그런 걸 예의라고 한단다, 꼬마야."

라롤라는 끊임없이 말을 걸었다. 모든 것이 신기하고 궁금했다. 미네르바는 라롤라가 무엇을 묻든 귀찮아하지 않고 답했고, 커다란 눈깔은 데구룩 데구룩 라롤라에게 무엇이 필요한지 살폈다. 쿠키의 산은 줄어들 줄을 몰랐다. 어느새 주변이 싸늘해지자 미네르바는 손가락을 튕겨 벽난로에 불씨를 붙였다. 하늘에서 별들이 쏟아져 내릴 때가 되어서야 라롤라의 목소리가 잦아들고 작은 가슴만 오르락내리락 움직였다. 오두막엔 작은 몸 위로 사르륵거리며 덮이는 담요 소리와 숨소리만 남았다.

✦

눈가에 보드라운 털이 스르륵 움직이는 느낌이 들었다. 라롤라는 간지러운 눈가를 비비며 아침잠을 깼다. 멍한 눈에 들어오는 풍경은 여느 때와 같이 크레파스 향이 나는 나무 천장이 아닌, 털이 보숭보숭한 덩어리로 가득 차 있었다. 검은색 털 덩어리에서 삐죽 하고 귀가 튀어나오더니 야옹— 하는 소리를 내며 라롤라를 빤히 쳐다봤다. 그는 훌쩍 점프해 미네르바를 향해 발레리나처럼 걸어갔다. 미네르바는 손가락을 휘익 휘익 현란하게 휘두르며 솥단지 속의 크림 스튜를 납작한 접시로 호로록 옮겨 담았다. 공중에 떠 있던 사과는 퍼석 하고 쪼개지더니 금테가 둘러진 찻잔 안에서 주스가 되었다.

잠에서 벗어나 점차 눈이 또렷해지자 무섭디무섭던 커다란 눈깔이 번들거리는 것이 보였다. 여전히 형형한 선홍빛 동공에, 중간에 뚝 하고 끊겨서 잘려 있는 기다란 모가지, 버석 마른 가지 같은 그의 팔이 고작 하루 만에 무섭지 않게 느껴졌다. 창문 밖은 햇볕이 가득 내리쬐고, 오두막 안에는 달빛이 가득한 괴이한 광경도 미네르바가 함께하니 아름답게만 느껴졌다.

미네르바의 눈알이 휙 하고 돌아가더니 라롤라를 향했다.

"때맞춰 일어났구나. 이리 와 보련?"

라롤라는 눈앞을 가리고 있던 머리카락의 장막을 휘적휘적 치우고 나서야 옷이 갈아입혀져 있단 걸 알았다. 어제 입고 왔던 구릿하고 꼬질한 천 옷은 온데간데없고 뽀송하게 누빈 잠옷을 입고 있었다. 라롤라는 괜히 옷자락을 만지작거리다가 테이블 가까이 다가갔다. 그러곤 미네르바의 팔에 꼬리를 배배 감고 얼굴을 비비는 검은 고양이를 가리키며 물었다.

"이 애는 이름이 뭐예요?"

"애라니. 너보다 곱절은 살았을 거다."

"고양이 선생님의 존함이 어떻게 돼요?"

"……마야."

"마야, 그거 맛있어요?"

멋진 무늬가 새겨진 고목 테이블 위에선 검은 고양이 마야도, 개미 한 마리도, 창문으로 들어온 참새도 각자의 식사를 하던 중이었다. 코딱지만 한 그릇부터 주먹만 한 접시까지 구색이 갖춰진 가지각색의 디시 세트였다. 그리고 빈 의자 앞엔 김이 폴폴 나는 크림 스튜와 고소한 버터 향을 풍기는 밀빵, 그리고 사과 주스가 놓여 있었다.

라롤라가 키가 작은 의자에 앉자, 목에 흰색 천이 둘러지고 의자의 키가 쑥쑥 커지더니 테이블과 높이를 맞췄다. 고급스러운 포도 넝쿨무늬의 은 숟가락을 들어 스튜를 떠 먹자 처음 맛보는 감칠맛이 혀를 자극했다. 녹진한 당근과 브로콜리 조각은 목구멍으로 넘어가는 게 아니라 스며드는 게 아닐까 싶을 정도로 부드러웠다.

미네르바는 고작 스튜 한 입에 꿈을 꾸는 것만 같은 얼굴을 하는 라롤라를 구경하고 있었다.

"미네는 안 먹어요?"

"난 아무것도 안 먹어도 된단다. 무엇보다 내가 무얼 먹을 수 있게 생겼니?"

그가 손가락으로 자신의 목 위를 톡톡 두들겼다. 라롤라는 순순히 '그렇구나'라고 납득하다가 번뜩 떠오른 기억을 내뱉었다.

"그럼 내 카스텔라랑 사과는 왜 가져간 거예요?"

"왜, 그리 쿠키를 배 터져라 먹고도 그게 아깝더냐? 지금 네 앞에 있는 사과 주스에 사과가 몇 알이 들어갔는지는 아니, 꼬마야?"

"꼬마 아니고 라롤라라니깐……."

라롤라는 웅얼거리면서도 처음 맛보는 음식으로 계속 입안을 채웠다. 몇 입을 먹어도 입안에서 폭죽이 팡팡 터졌다. 스튜 옆에 있던 동글동글하게 생긴 밀빵을 한 입 베어 물었을 땐 "이게 대체 무슨 맛이에요?!"라고 물었고, 미네르바는 "버터 맛이겠지?"라고 대수롭지 않게 답했다. 키키가 간혹 나눠 주었던 흰 빵과 카스텔라에서는 느끼지 못했던 느끼하고, 고소하고, 짭짤한 버터의 맛. 이것이 바로 버터구나, 싶었다.

라롤라는 생애 처음으로 숨이 턱턱 막힐 정도로 배를 채웠다. 홀쭉했던 배가 옷 밖으로도 똥똥하게 보일 정도였다. 북소리가 나는 배를 통통 치면서 라롤라는 미네르바의 눈을 구경하듯 바라봤다.

"왜 미네는 얼굴이 없어요? 아니면 그 눈알이 얼굴이에요? 태어났을 때부터 그랬어요?"

미네르바는 테이블에서 그릇들을 치우다가 픽— 하고 웃어 보였다.

“그럴 리가. 나는 절세미인이었지. 마녀는 원래 누구보다 아름답단다.”

“그런데 왜 커다란 눈알만 남았어요?”

“내가 외눈박이 사내의 소원을 들어주고 가장 소중한 것을 받아 냈거든. 외눈의 검사였는데…… 화려한 검 실력을 뽐내던 팔을 얻어 낼 수 있을 줄 알았더니 눈을 통째로 빼앗아 버리더구나. 나도 이 꼴이 될 줄은 몰랐지.”

“미네가 갖고 싶은 걸 얻는 게 아니에요?”

“마녀와 하는 계약은 그리 단순한 게 아니야. 상대가 진정으로 소중히 여기는 것을 받아 내지만, 어떤 것을 어떤 형태로 갖게 될지는 모른단다. 내가 귀히 여기던 붉은 머리칼을 이런 모습이 되어 잃게 될 줄 알았다면 그 사내의 소원은 이뤄 주지 않았을 게다.”

“빨간색이었구나, 머리카락……. 예뻤을 것 같아요. 키키의 머리도 곱고 부드러운데.”

“네 머리칼도 매력적인걸?”

“푸석푸석하고 구불거려서 엉키기만 하는걸요. 더군다나 칙칙하게 어두운 색이고……. 기른 것도 자를 돈이 없어서 그냥 두었을 뿐이에요. 케이시 아줌마라고 있는데, 5일 치 아침밥을 안 먹고 모아서 가져가야 내 머릴 잘라 줘요."

라롤라의 뒤에 선 미네르바는 흑색 머리칼을 손가락으로 천천히 빗질하더니 말캉한 볼을 콕 찌르며 제안했다.

"그렇담 내가 네 매력을 가장 돋보이게 만들어 줄까?"

"어떻게요?"

"가만 보자."

미네르바의 열 손가락이 작은 머리통 위에서 둥그렇게 움직이더니 무겁던 머리가 가벼워졌다. 장식장 위에 있던 고풍스러운 거울 하나가 붕— 하고 날아와서 눈앞을 비추니 가슴 자락에 있던 머리칼 끝이 귓바퀴를 살랑살랑 간지럽히고 있었다.

"어떠니? 넌 모를지 몰라도 네가 푸석푸석하다는 곱슬머리는 사자 갈기 같은 매력이 있단다. 이렇게 짧으면 엉키지도 않지. 오두막 주변을 돌아다닐 때도 진흙이 묻어 뭉칠 일도 없을 게다."

"우와…… 마음에 들어요!"

라롤라는 무게가 느껴지지 않는 머리칼을 신기한 듯 매만지고 고개를 붕붕 돌리며 앞모습, 옆모습을 살폈다. 볼품없다고 생각했던 머리칼이 미네르바의 마법과 말만으로 동화 속 용맹한 사자같이 느껴졌다.

미네르바는 라롤라를 번쩍 들어 무릎에 앉히고 짧아

진 머리칼을 가닥가닥 땋기 시작했다. 그는 생각보다 꼬마의 무게가 무겁다고 생각했다. 팔근육에 힘이 들어간 적이 언제인지도 기억이 나지 않았다. 항상 손만 휘적이면 무엇이든 해결되었으니까. 새삼 손가락 사이를 간질이는 감각이 생경하게 느껴졌다. 딱딱한 허벅다리 뼈 위에 얹힌 말캉하고 따뜻한 살덩이의 무게감이 낯설었다.

마야가 빨간 리본을 물고 와서 테이블에 내려놓곤 칭찬을 바라는 듯 고롱댔다. 미네르바는 짧게 땋인 머리칼에 리본을 묶으며 미뤄 두었던 질문을 나직이 건넸다.

"그런데 아가. 집에는 안 가 봐도 되니?"

"괜찮아요. 어차피 아무도 신경 쓰지 않을 거예요. 키키도 요즘엔 집에 안 놀러 오고……."

라롤라는 변함없이 동그랄 뿐인 미네르바의 눈알이 이상하게 웃고 있는 것만 같다고 생각했다.

✦

오두막에서 부산스럽게 움직이는 소리가 나게 된 지도 일주일이었다. 두꺼운 나무줄기에 삐쭉 튀어나와 있던 어린잎들은 그새 청사과 빛으로 울창해졌다. 한낮의 햇볕은 따스하다기보다 뜨거웠고 밤이 되어도 더 이상 춥지 않았다.

하지만 오두막 주변은 동그랗게 경계선이라도 있는 듯 여전히 휑하니 비워진 채 직선으로 길쭉하게 뻗은 자작나무들만 우뚝 솟아 있었다. 바닥은 고불고불한 고사리만 이상하게 잔뜩 피어 하늘을 향해 커져만 갔다. 이러나저러나 라롤라는 춥지도 덥지도 않은 안락한 생활을 만끽하고 있었다. 미네르바의 오두막엔 없는 것이 없었고, 없다면 바로 생겨나곤 했으니까.

미네르바는 보통 녹아 굳은 촛농 같은 모습으로 앉아서 창문 밖을 하염없이 바라보거나, 벌떡 일어나선 무언가에 이끌리듯 바삐 움직였다. 움직인다고 해 봐야 집 안에서 물건들을 이리저리 옮기는 정도였지만. 그는 저도 모르게 손가락을 휘두르려다가, 몇 번이고 움찔거리더니 직접 손으로 물건을 들어 올려 위치를 바꾸길 반복했다. 무거운 가구를 드르륵거리며 옮길 땐 눈알에 핏줄마저 섰음에도 그만두지 않았다. 그는 라롤라에게 필요한 것을 만들어 낼 때를 제외하곤 마법을 쓰지 않고 직접 몸을 움직이려 했다.

하루는 장식장 위에 소복이 쌓인 먼지를 닦는다고 보석이 잔뜩 박힌 향수병들을 내리다가 와르르 바닥에 떨어트리고 깨트려서 오두막 안이 향긋하다 못해 독한 제비꽃과 작약 향으로 가득 찼다. 라롤라와 미네르바는 강제로 오두막 밖으로 뛰쳐나와서 냄새가 빠질 때까지 고사리밭에 나란히 누워 시간을 보내야만 했다.

라롤라는 앙상한 미네르바의 모가지에 땀이 송골송골 맺힌 것을 보더니 물었다.

"미네. 왜 오두막 안에는 달빛만 가득해요? 밖은 이렇게 쨍쨍한데."

데굴데굴 굴러갈 것만 같은 동그란 눈알이 답했다.

"난 창문을 그림 액자처럼 보는 걸 좋아해. 매일 똑같은 나날이지만, 창문 밖 풍경만은 언제나 조금씩 다르거든. 반면에 내 오두막은 지루하기 짝이 없지. 굳이 눈에 선명히 담고 싶지 않아."

"잘 이해가 안 돼요. 미네의 오두막은 멋지기만 한데. 휘황찬란한 보석들도, 생전 처음 들어 보는 아름다운 소리를 내는 오르골도. 반짝거리는 것투성이라 어느 도시의 축제를 가도 이곳만큼 재밌진 않을 것 같은걸요. 저는 도시에 가 본 적 없지만……. 여기엔 고양이 마야도, 윌리엄도, 베니도 있잖아요. 아! 윌리엄은 제가 이름 붙여 준 개미구요, 베니는 갈색 줄무늬가 예쁜 참새예요. 히히."

"……너도 머지않아 알게 될 날이 올 거란다."

라롤라는 고개를 갸웃거리며 코를 긁적였다. 말간 볼과 말캉한 입술, 그리고 초롱초롱한 눈망울이 햇빛에 반짝였다. 미네르바는 라롤라의 눈동자가 싱그러운 청포도 껍질색 같다고 생각했다. 온 여름의 풀잎색을 담은 연둣빛은 어떤 보석보다도 아름답다고.

미네르바는 목을 축이지 않아도 되었는데도 라롤라와 함께 있으면 어쩐지 갈증이 느껴졌다. 지금껏 수없이 소원을 들어주면서 대가로 얻은 수명의 길이는 가늠해 보는 걸 포기한 지도 오래였다. 지루한 나날 속에서 오두막을 거대한 관 삼아 하루하루를 살아갈 뿐이었다. 외눈박이의 소원을 들어주며 얼굴이 통째로 날아가고부턴 술기운을 빌려 잠을 자는 것도 관두었다. 음식을 먹을 순 있어도 맛이 느껴지질 않았다. 항상 눈꺼풀에 억지로 힘을 주어 닫은 채 바깥이 밝아지기만을 기다렸다. 지나가는 세월은 창문 밖으로 바뀌어 가는 세상의 빛깔로 가늠할 따름이었다.

하지만 라롤라는 미네르바가 무엇을 하든 따라다녔고, 지루해하는 걸 허락하지 않았다. 질문을 멈추지 않았고, 때론 혼자 이야길 하다가 자지러지게 웃었다. 그걸 구경하다 보면 어느새 창문 밖이 어두워졌다. 라롤라를 침대에 누이고 그 옆에 누워 있으면 지긋지긋하던 등의 배김도 느껴지지 않았다. 오르락내리락하는 작은 배에 손을 얹어 두고 색색거리는 숨소릴 듣는 것만으로도 눈꺼풀이 스르륵 감겼다. 즐거운 하루를 보낸 것만 같다고 생각할 수 있었다.

미네르바가 지난밤을 떠올리고 있을 때, 라롤라가 벌떡 일어나 그를 향해 쏟아지는 햇볕을 고사리 같은 손으로 가리며 말했다.

"이제 진짜 여름이 오려나 봐요. 뜨거워!"

미네르바는 손을 뻗어 살짝 끈적해진 라롤라의 볼을 쓰다듬었다.

"아가, 오두막 안에서 양산을 하나 꺼내 오련? 레이스로 만든 쓸 만한 게 있을 거란다. 냄새가 빠질 때까지 시원한 곳으로 이른 피서를 가자."

✦

라롤라는 미네르바의 손을 잡은 채 오솔길을 걸었다. 숲의 거대한 잎과 줄기들은 앞을 막고 있다가도 미네르바가 발을 내딛으면 순식간에 터널을 만들어 냈다. 미네르바는 익숙한 듯 한 손에 피크닉 바구니를 들고 양산을 겨드랑이에 끼운 채 천천히 걸었다. 라롤라는 모험을 떠나는 것만 같아 가슴이 콩닥거렸다.

어두컴컴하던 초록색 터널 끝에 강한 빛이 쏟아져 내렸다. 비릿하고 시원한 물 내음이 났다. 눈앞에 펼쳐진 비밀 장소는 끝없이 펼쳐진 윤슬로 가득했다. 드넓고 맑은 호수엔 푸른 나무와 하늘이 빼곡히 담겨 있었다. 태양마저 품은 호수는 오두막 안에 있던 어떤 보석보다도 아름답게 일렁였다.

라롤라의 짧은 반바지 아래로 물기 어린 잔디가 다리를 간질였다. 라롤라는 주저앉아 호수 안을 구경하기도 하다가, 나비를 따라다니기도 하며 정신없이 주변을 쏘다녔다.

미네르바는 자주색 꽃잔디가 가득 핀 곳 옆에 피크닉 바구니를 내려놓곤 커다랗고 고운 청색 천을 꺼내 들어 바닥에 주름지지 않도록 폈다. 거대한 양산도 펼쳐 두고 동그란 그늘을 만들었다. 그러곤 가랑잎에 싼 소금 주먹밥과 신선한 양상추와 햄 한 장을 끼운 샌드위치를 바구니에서 꺼냈다. 라롤라가 낮잠을 자는 동안 직접 손을 움직여 만든 도시락이었다.

"그만 앉거라, 아가."

손으로 바닥을 팡팡 두들기며 라롤라를 불러 앉힌 그는 바구니에서 레몬 한 알을 집어 들어 깨끗한 물이 든 물 잔에 가져갔다. 가느다란 손가락에 힘이 들어가자 레몬이 푸숙 터지며 상큼한 시트러스 향이 주변을 감쌌다. 즙이 뚝뚝 떨어지길 멈추자 연한 노란빛을 띤 음료를 라롤라에게 건넸다. 코에서 눅눅하고 청량한 여름의 향이 느껴졌다.

"으— 시어!"

미네르바는 잔뜩 찡그린 얼굴을 감상하며 킬킬대고는 뒤에 있는 바위에 몸을 기댄 채 눈을 감았다. 라롤라는 세상에서 가장 행복한 얼굴을 하며 말했다.

"미네. 내가 살아온 중에 오늘이 가장 행복한 날이에요."

미네르바는 눈을 가늘게 뜨고는 읊조렸다.

"내가 네 나이면 매일매일이 행복할 것만 같은데……."

"오늘이 느리게 흘렀으면 좋겠어요. 오늘만 평생 살았으면 좋겠어."

"네 행복은 널 닮아 발이 작아서 오는 데 시간이 좀 걸리나 보구나. 부지런히 네게 오고 있을 테니 오늘 같은 날이 많을 게다."

"하지만 키키는 매일매일 행복하다고 했는걸요. 저만 지루하죠. 아, 물론 미네를 만나고는 즐거운 일투성이에요! 미네를 만나기 전엔 세상이 하나 둘 셋 하고 다 같이 제가 행복해질 때까지 기다려 줬으면 했어요. 저는 키키가 행복해질 때까지 기다려 줄 수 있는데……. 키키는 저랑 달리 맨날 행복해 보였지만요."

미네르바는 바위에서 등을 떼지 않은 채로 작게 오물거리는 라롤라의 입술에 붙은 빵가루와 밥풀을 떼어 입 안에 넣어 줬다.

"아가. 네가 키키보다 못할 게 어딨니."

"키키는 저보다 키도 크고, 가정 교사 데보라도 있고 ……."

"키키가 이 마을에서 제일 사랑받고 행복한 아이일지는 몰라도 제일가는 부자는 아니지. 그건 나거든. 그리고 그 제일가는 부자가 제일 좋아하는 아이는 너란다, 라롤라. 네 엉덩이 밑에 깔고 있는 천조각만 해도 네 친구가 3년 동안 먹고살 수 있는 가격일걸?"

라롤라는 흠칫 푸른 천을 내려다보고는 바닥에 떨어진 양상추 조각을 재빨리 주워 호수를 향해 던졌다. 호수에 작은 양상추가 둥둥 떠다니며 잔잔한 물결을 만들어 냈다.

"모든 아이는 사랑받기 위해 세상으로 나오지. 넌 내가 아니라도 사랑받아 마땅한 아이야."

"……하지만 전 항상 꼴찌예요. 항구로 이어지는 사잇마을에서 살면서 바다를 보지 못한 건 저밖에 없어요."

"바다 따위, 네가 원하기만 한다면 볼 수 있어."

미네르바는 게슴츠레하던 커다란 눈을 번쩍 뜨고는, 팔을 높이 들어 올리더니 손바닥에서 눈이 부실 정도로 커다란 푸른빛을 내뿜었다. 여전히 그는 바위에 붙은 이끼 같은 모양새로 앉아 있을 뿐이었지만, 세상이 그의 손짓 하나로 움직였다. 푸른빛이 점차 호수 전체를 감싸더니 호숫물이 크게 출렁였다. 거대한 물덩이가 솟구쳤다가, 바닥으로 떨어지며 흰색 물거품이 라롤라 앞으로 쏟아져 내렸다. 호수 아래에선 해파리들이 파도에 맞춰 흐물거리며 춤을 추고 형형색색의 빛을 내며 반짝거렸다.

라롤라는 턱이 빠질 듯이 입을 벌리고 눈을 떼지 못한 채 바라만 보다가 조심스레 바다를 향해 다가갔다. 맨발이 바닥에 깔린 청색 천과 보드라운 잔디를 사박사박 넘어서 파도 끝자락에 닿았다. 바람에 맞춰 잔잔히 흔들리기만 하던 물웅덩이가 지금은 쏴아— 소리를 내며 발가락에 부글거리는 거품을 남기며 물러섰다가, 발등을 간지럽히며 다가온다. 코끝엔 맑고 비린 물 냄새가 아닌 눅눅한 짠 내가 풍겼다. 키키가 말한 것처럼 코끼리 소리를 내는 거대한 유람선은 없었지만 세상에서 최고로 멋진 바다임이 틀림없었다. 라롤라는 휙 뒤를 돌아 앉아 있는 미네르바를 향해 두다다다 뛰더니 그를 와락 껴안았다.

“미네 대단해요! 진짜 진짜 멋있어요! 미네는 최고의 마법사야! 난 그런 미네의 가족인 거죠, 그죠?”

라롤라는 마른 갈비뼈에 얼굴을 비비적대며 “미네가 제일 좋아.”라며 웅얼거렸다. 하지만 여느 때와 같이 다정한 목소리가 돌아오지 않았다. 라롤라는 고개를 들어 미네르바의 눈을 바라보며 되물었다.

"왜 아무 말이 없어요?"

미네르바는 짧고 복실한 머리를 조용히 쓰다듬으며 자신이 만든 광경을 바라만 보았다. 들려오지 않는 그의 대답에 두근거리던 마음이 굳어 오고, 수런거리기 시작했다. 아니나 다를까, 미네르바는 라롤라가 지난 일주일간 그려 오던 환상적인 미래 계획과 다른 말을 꺼내 들었다.

"날 가족으로 여기는 건 관두려무나."

"……왜요? 우린 같이 자고 먹고 놀았잖아요. 난 미네의 가족인데……. 미네는 아니에요?"

"넌 날 결국 떠나야 해 아가."

"그러니까 왜요!"

라롤라의 떨리는 외침을 끝으로 파도가 멈췄다. 주변은 바람 소리 하나 없이 적막으로 가득 찼다. 미네르바는 라롤라를 들어 올려 옆에 앉히고는 자리에서 일어나 잔잔해진 호수를 바라봤다. 마법이 사라진 호수엔 여전히 정수리를 뜨겁게 하는 태양과, 보름달같이 동그란 눈알이 있었다.

"네가 어른이 되면 이해할 테지. 넌 마을로 돌아가는 게 좋아."

"난 미네가 무슨 소리를 하는지 하나도 모르겠어요."

미네르바는 아무 말 없이 라롤라를 내려보았다. 크레

파스 냄새가 나는 쿰쿰한 나무 집 창문 밖에서 형형한 선홍빛의 눈알로 바라보던 그날처럼. 눈만 있는 미네르바는 웃지 않으면 어떤 기분인지 알 수가 없었다. 라롤라는 처음으로 그의 얼굴이 원망스러웠다.

"미네. 무슨 소린지 모르겠어요."

✦

"끈질기기는. 진짜 귀신 마녀가 따로 없다니깐."

키키는 부엌 주변을 두리번거리며 중얼거렸다. 나무로 된 문을 살금살금 닫고 찬장 앞으로 의자를 끌었다. 그러곤 의자를 밟고 올라서서 찬장 꼭대기에 있던 노란색 사각 깡통을 꺼내 열었다. 깡통 안에는 살구 잼이 발린 쿠키와 동그란 사탕이 가득했다. 키키는 잔잔한 꽃이 수놓아진 손수건에 그것들을 몰래 챙겼다.

"나 같은 어린아이는 자주 바깥으로 나가 햇볕을 쬐어야 한다!"라며 가정 교사를 며칠 동안 설득한 끝에 겨우 일주일 만에 외출 허락을 받을 수 있었다. 그래 봐야 지겨운 마을 안에서 돌아다닐 수 있는 거였지만, 과보호인 집안 어른들이 큰 선심을 베푼 것을 알고 있었다.

키키는 분홍색 프릴이 달린 드레스 주머니에 손수건 덩어리를 쑤셔 넣었다. 머리도 제대로 빗지 않은 채 외출을 서두르자, 데보라가 딱 붙어 따라다니며 긴 머리칼을 빗어 내리고 한 가닥으로 높이 묶어 리본을 매어 줬다. 그녀는 키키가 문고리를 잡아당길 때까지 옷매무새를 만져 주며 당부했다.

"혼자 마을 밖으로 나가선 안 돼요. 특히 오솔길 근처는 얼씬도 하지 말고요. 대답은?"

"알았다니까요!"

키키는 마을 중심으로 가는 둥 하다가 배웅하던 데보라가 현관문을 잠그는 소리를 내자마자 몸을 틀어 바로 옆집인 라롤라의 집으로 향했다. 마을에 사는 또래라고는 라롤라밖에 없는데 집안 어른들은 라롤라와 어울리는 것을 싫어했다. 데보라만 해도 벽돌집이 판잣집과 붙어 있는 것이 못마땅하다며 자주 혀를 차곤 했다. 입에 빵을 문 채 돌아다녀선 안 된다는 잔소리만큼 이해할 수 없는 일이었다. "어른이 하는 말은 다 너를 위한 거다."라는 말은 키키에게 있어 말썽을 부리지 못하게 하는 마법의 말이면서, 무엇보다 지루한 말이었다. 가족은 어떤 것보다 소중했지만 가장 재밌는 건 역시 라롤라와 킬킬대는 일이었다.

단층인 라롤라네 판잣집은 밖에서도 창문 안이 훤히 보였다. 그런데 오늘은 커튼 사이로 아무리 살펴보아도 천장에 닿을 듯한 커다란 그림자만 보였다.

"라롤라는 저 반 토막만 한데……."

키키는 혹시나 하는 마음에 두 집의 울타리가 만나는 개구멍으로 향했다. 어느새 뜨거운 햇살을 받아서 울창해진 잔디가 개구멍을 가리고 있었다. 키키가 무릎을 굽히자 분홍색 드레스 끝자락이 금세 흙빛을 띠었다.

"아, 또 잔소리 듣겠네."

둘은 서로를 만나지 못할 때 개구멍 아래에 비밀 편지를 놓아 두곤 했다. 역시 아래를 살피니 이슬에 젖어 꼬질꼬질해진 쪽지가 있었다.

눈깔 괴물이 카스텔라를 가져갔어!

괴물인데도 목소리가 무지 예쁘다?

추신. 난 눈깔 괴물을 다시 만나러 갈 거야!

키키는 입을 쩍 벌리고 쪽지를 바라보다 안절부절못하며 발을 동동 굴렀다. 라롤라를 일주일이나 보지 못했다. 언제 쪽지를 남긴 건지 알 수 없었다. 하지만 카스텔라 이야기가 있는 걸 봐선 꽤 오랜 시간이 지난 것 같았다.

머릿속으로 어른들이 말하던 온갖 무시무시한 괴담이 떠올랐다. 키키는 곱게 손질된 손톱을 잘근잘근 씹다가 다급하게 개구멍 아래로 기어 들어갔다. 새하얀 스타

킹이 잔디와 진흙으로 검게 물들었지만 머릿속엔 라롤라가 무사하길 바라는 마음만 가득했다.

키키는 울타리를 넘어 휘적휘적 라롤라네 현관을 향해 걸었다. 그러곤 높이 달린 녹슨 쇠고리를 흔들며 쾅쾅 세게 내리쳤다. 삐걱거리는 썩은 나무 문이 크게 덜컹거리면서 듣기 싫은 소리를 냈다. 열 번 정도 고리를 흔들었을까. 쿵쿵쿵 커다란 발걸음 소리가 나더니 벌컥 문이 열렸다. 문을 연 건 천장에 닿을 듯이 키가 큰 사내였다. 귀를 다 덮을 정도로 갈색 머리가 덥수룩했고 면도는 언제 한 건지 입 주변에 수염이 삐죽삐죽했다. 미간에 깊게 파인 주름은 안 그래도 신경질적인 인상을 더욱 매섭게 만들었다. 원래 색을 알 수 없게 된 누런 끈 달린 셔츠는 잔뜩 구깃구깃한 것이 방금까지 자다가 나온 모양새였다.

"도대체 누구길래 이렇게 방정맞고 시끄럽게 군답니까?"

남자가 씩씩대며 텅 빈 정면을 향해 소리쳤다. 그러다 뒤늦게 부스럭 소리가 나는 아래를 쳐다봤다. 그는 산발인 머리에 흙투성이인 키키를 인상을 찌푸리며 바라보다가, 진흙이 묻은 공단 드레스를 훑고는 눈앞의 꼬마가 벽돌집 아이라는 걸 알아챘다. 남자는 어린아이를 배려하듯 몸을 숙이고 한껏 부드러워진 목소리로 불청객을 향해 다시 물었다.

"무슨 일이길래 이리 문을 두들기니, 꼬마야?"

키키는 걸걸하고 거인 같은 사내가 몸을 숙여 다가오자 어깨를 한껏 움츠리고는 발발 떨었다. 그래도 라롤라를 생각하며 치마를 부여잡고 물었다.

"라롤라 집에 있나요?"

"이런—. 그 애 친구로구나. 걔는 집에 없는데. 그러고 보니 요즘 통 보이질 않았구나. 마을 어딘가에 있겠지. 걔가 가 봐야 어딜 가겠니."

"라롤라가 눈깔 괴물을 만나러 간 것 같아요! 얼른 찾아야 해요!!"

남자는 헉 하고 숨을 들이켜곤 손으로 입가를 가리며 말했다.

"눈깔 괴물 말이니? 소원을 들어주는 대신 사지 중 하나를 떼어 간다던 그 눈깔 괴물?"

"맞아요! 분명 라롤라도 그 괴물한테 홀린 거예요. 다정한 목소리를 내며 맛있는 걸 주겠다며 꼬드겼을지도 모르죠. 여하튼 빨리 라롤라를 찾으러 가야 해요!"

남자는 별안간 어깨를 들썩이더니 입에서 손을 떼고 동네가 떠나가게 웃기 시작했다.

"하하하! 눈깔 괴물? 순진한 꼬마야. 그건 너 같은 어린애들한테 겁을 줘서 깊은 숲속에 들어가지 못하게 하려는 수작이란다. 이 근방 숲은 어른도 헤매다가 영영 못 나올 정도로 길이 험하니까. 숲속 마녀나 괴물 얘기는 옛날이야기일 뿐이야."

"하, 하지만 라롤라는 눈깔 괴물을 진짜 봤다고 했어요!"

"그래, 그래. 나도 딱 네 나이 때 도롱뇽을 드래곤 새끼라고 믿었지."

키키는 토마토처럼 달아오른 얼굴로 바들바들 떨면서 소리쳤다.

"그럼 라롤라가 언제 나갔는지라도 알려 줘요!"

"그걸 내가 어찌 안다니?"

"어떻게 어른이 그것도 몰라요?"

남자가 삐죽 솟구친 윗머리를 쓸어 넘기며 비식거렸다.

"꼬마야. 어른은 너 같은 어린애를 먹여 주고 재워 주느라 한시도 쉴 틈 없이 바쁘게 일을 한단다. 발발거리는 꼬마애가 노는 것까지 하나하나 다 참견할 수가 없어요. 애들은 알아서 금세 쑥쑥 잘 크는 법이다. 너희 집 그 잘난 어른들은 네가 그 꼴로 여기 온 걸 아시니? 이 어른은 특별히 모른 체해 줄 테니 좋은 말로 할 때 돌아가련? 난 이제부터 바쁘니까 이만 저리 가서 놀아. 훠이—."

그는 하품을 늘어지게 하더니 삐걱거리는 문을 닫으

며 중얼거렸다.

"간만에 쉬는 날인데 어린애가 떽떽거리기나 하고 말이야."

키키는 가장 친한 친구가 위험에 빠졌을지 모르는데도 집안 어른들에게 사실대로 털어놓을 자신이 없었다. 치맛자락에 잔디 한 올만 묻혀 가도 불같이 화내는 가정교사가 어머니 아버지에게 어떤 말을 전할지 눈앞에 선했기 때문이다. 또 외출 금지를 당해 방 안에서 라롤라를 걱정만 하며 빙빙 돌고만 있을 순 없었다. 이번 외출도 라롤라를 만나기 위해 겨우 허락받은 것이었다. 머릿속에 가장 힘이 세다는 대장간 톰 아저씨와 빗자루를 들면 무적이라는 여관 주인 마가렛이 스쳐 지나갔지만 한숨만 나올 뿐이었다.

어른들은 어린아이의 말에 귀 기울이지 않아.

키키는 손에 꾸욱 힘을 주곤 결심한 듯 마을 입구를 향해 강렬한 눈빛을 보냈다.

"내가 라롤라를 구하러 가는 거야. 할 수 있어."

키키는 가족들이 앞다투어 겁을 주던 오솔길 앞에 섰다. 썩은 나무에 못이 박힌 울타리 너머로 컴컴한 어둠이 깊게 내려앉아 있었다. 마른침을 꿀꺽 삼키곤 개구멍을 지날 때처럼 허리를 굽히며 중얼거렸다.

"라롤라, 내가 데보라한테 잔소리를 듣는 건 다 너 때문인 거야. 그러니까 무사해야 해."

✦

"손님이 찾아왔구나."

"손님?"

오두막 앞에 천을 깔고 라롤라와 카드놀이를 하던 미네르바가 고개를 들며 말했다. 그러거나 말거나 라롤라는 혀로 입술을 핥으며 다음 차례를 골똘히 고민할 뿐이었다. 하지만 미네르바의 다음 말에 덩달아 고개를 번쩍 들 수밖에 없었다.

"키가 딱 너만 하기에 길을 열어 주었다."

"키키!"

사잇마을에 키가 비슷한 건 키키밖에 없다. 라롤라는 설레는 마음으로 키키를 기다렸다. 미네르바가 예고한 지 얼마 되지 않아 어두컴컴한 통로 끝으로 황금색 머리통이 보였다. 정작 본인은 갑작스레 눈을 때리는 햇살에 정신을 못 차리고 있었지만 라롤라는 벌떡 자리에서 일어나 신발도 신지 않고 푸른 고사리밭을 뛰어나갔다.

"키키! 왔구나!"

익숙한 목소리에 겨우 실눈을 뜬 키키는 눈앞의 라롤

라를 보곤 반가운 얼굴을 지었지만 곧 사색이 되어 뒷걸음질을 쳐야만 했다. 빛에 익숙해진 눈에 비친 모습은 지금껏 상상해 온 어떤 것보다도 이질적이고, 괴이했다.

거대한 핏빛 홍채가 키키를 바라보고 있었다. 그러다 스륵— 눈깔 괴물의 초점이 라롤라를 향하자 키키는 라롤라의 한 손을 휙 잡아채고는 자신의 등 뒤로 숨겼다.

"왜 그래 키키? 아, 미네 때문에 그래? 겁내지 않아도 돼! 미네는 엄청 엄청 멋있는 마법사야!"

라롤라는 키키의 등 뒤에서 빼꼼 옆으로 빠져나와 미네르바를 향해 손을 뻗고는 소개하듯 말했다. 키키는 형형한 눈깔에게서 눈을 떼지 못하다가, 그제야 라롤라의 얼굴을 제대로 마주했다.

"……저 괴물이 네 머리도 잘랐어? 꼴이 왜 그래?"

"어? 이상해?"

라롤라가 쭈뼛대며 짧아진 곱슬머리를 만지작거렸다. 항상 누런 셔츠 두 장만 돌려 입던 라롤라는 새하얀 리넨 셔츠와 도련님이 입을 법한 반바지를 입고 있었다. 일주일 새에 살이 올랐는지 볼살은 더 오동통했다. 키키는 제일 친한 친구의 모습이 낯설게만 느껴졌다.

"이럴 때가 아니야, 라롤라. 얼른 돌아가자."

키키는 라롤라의 손을 다시금 붙잡고 방금까지 지나왔던 풀숲으로 향했다. 아니, 향하려 했다. 라롤라는 다리에 힘을 주고 움직이지 않았다.

"난 여기가 좋아, 키키. 돌아가고 싶지 않아. 그리고 너한테도 미네르바를 소개해 주고 싶어! 미네는 괴물도 나쁜 어른도 아니야. 분명 너도 좋아할 거야."

"무슨 소릴 하는 거야 라롤라!"

"내가 거짓말하는 거 봤어? 정말이래두?"

분명 미네르바가 보통 사람과 아주 많이 다르다지만 키키가 예상한 것보다 더 무서워하자 라롤라는 당황스러웠다. 그래도 포기하지 않고 키키를 미네르바에게 데려가려 했다. 하지만 키키의 얼굴은 점점 더 일그러졌다. 가까이에서 본 괴물은 가까워진 거리만큼 더 끔찍했다.

"괴물! 징그러워! 눈깔뿐만이 아니야. 손도 이상하잖아! 저렇게 나뭇가지 같고 거뭇거뭇한 손이 착한 사람의 손일 리가 없잖아. 아니, 일단 사람이 아니라니까, 라롤라?"

키키는 붙잡힌 손을 뿌리치고 주변 바닥을 두리번거리더니 마구잡이로 돌멩이를 잡아 미네르바에게 던지기 시작했다.

"진정해, 키키! 제발 그러지 마!"

"넌 홀린 거야! 괴물한테서 떨어져! 아니, 라롤라한테 다가오지 마, 괴물아!"

쿠키를 산처럼 만들어 내고, 호수에 파도를 일으키던 미네르바는 이상하게도 키키가 던지는 돌멩이를 잠자코 맞고만 있었다. 익숙한 듯 그저 바라만 보았다. 키키가 허겁지겁 던져 대는 돌멩이는 대부분 땅에 곤두박질치며 빗겨 나갔지만 어느 돌멩이는 미네르바의 몸뚱이를 정확히 가격했다. 그제야 그는 "윽." 하는 작은 신음을 냈고, 라롤라는 다급하게 미네르바의 앞을 막아섰다. 키키는 휘두르던 팔을 흠칫 멈추더니 거칠게 씩씩대면서 외쳤다.

"비켜, 라롤라!"

"아니, 못 비켜!"

"왜 괴물을 지키는 거야!"

"미네는 괴물이 아니니까!!"

"불쌍한 라롤라……. 네가 저 끔찍한 몰골을 보고도 그런 생각을 하는 것 자체가 이미 홀린 거라니까?"

키키는 씩씩거리며 돌멩이를 쥔 손에 힘을 주었고 라롤라는 다급히 말을 보탰다.

"아냐, 아니야! 키키. 내 말을 좀 들어 봐. 미네는 착한 어른이야. 맨날 나랑 같이 놀아 줬는걸!"

"라롤라. 너야말로 내 말을 들어. 어떤 어른이 너 같은 애랑 놀려고 하겠니?"

"그건……."

라롤라의 눈에서 닭똥 같은 눈물이 뚝뚝 떨어져 발등에 흘렀다.

"이제 알겠니, 라롤라? 나랑 같이 돌아가자."

키키는 금방이라도 던질 것처럼 돌멩이를 쥐고는 조심히 다른 한 손을 뻗어 라롤라에게 다가갔다. 하지만 라롤라는 미네르바를 껴안고 흐느끼며 말했다.

"미네르바는 내 가족이야. 그러니까 제발 그러지 마, 키키."

키키는 괴물이 무슨 짓이라도 할까 마음이 급했지만 라롤라는 말을 들을 생각이 없어 보였다. 도리어 괴물에게 달라붙어 변호하는 꼴이라니. 하지만 키키는 차마 가까이 다가가서 라롤라를 끌어올 용기가 없었다.

라롤라는 미네르바의 품에서 벗어나 훌쩍이며 키키를 향해 말했다.

"……키키. 네가 날 구하기 위해 동화 속 기사님처럼 풀숲을 헤쳐 온 걸 알아. 그건 네 드레스만 보더라도 알 수 있는 걸. 하지만…… 어른들이 모든 것을 알고 있는 건 아니었어. 난 여기서 매일매일 쿠키를 배가 빵빵해질 때까지 먹었어. 이불을 덮으면 미네는 항상 내게 동화책을 읽어 줬지. 오늘은 미네가 알려 준 누가누가 더 남들과 다른가 게임을 하며 놀았어. 지는 사람은 항상 달랐지만 게임이 끝날 때 외치는 말은 같았지. 난 미네한테 열 번이고 스무 번이고 '그런 미네를 사랑해!'라고 했다? 난 키키 너도 분명 미네르바를 사랑할 수 있을 거라고 생각해."

미네르바는 사랑스럽다는 듯 라롤라의 작은 머리통을 쓰다듬었다. 키키는 라롤라의 말이 귀에 들어오지 않았다. 지금 당장 라롤라의 머리 위에 있는 손을 바라볼 뿐이었다. 괴물의 손은 꼭 거대한 거미의 다리 같아서, 멀리서 보고 있는데도 소름이 돋을 지경이었다.

"저 괴물을 사랑한다고? 아니, 넌 사랑받지 못해서 사랑이 뭔지 몰라 착각하고 있을 뿐이야. 라롤라, 제발 마을로 돌아와. 저런 끔찍한 괴물이랑 가족이 될 바에야 평생 홀로 살아가는 게 나아."

불현듯 괴물의 눈알이 빠르게 데구룩 구르며 키키를 향했다. 동그란 눈알의 초점이 움직였을 뿐인데도 꼭 화가 난 것만 같아서, 키키는 뒷걸음질을 치며 악다구니를 쳤다.

"소원을 이루어 주고 가장 소중한 것을 빼앗아 간다지? 세상에서 가장 탐욕스럽고, 끔찍하고, 안쓰러운 괴물 같으니. 소원을 들어주는 눈깔 괴물아! 내 소원은 네가 없어지는 거야. 평화로운 우리 마을에서 꺼져 버려!"

돌을 맞아도 잠자코 있던 미네르바는 어떤 말에 자극을 받은 건지 천천히 자리에서 일어나 차가운 목소리로 대꾸했다.

"퍽 어른스러운 친구라더니, 과연 마을 어른들과 다를 바가 없구나. 그래, 어른의 사랑을 듬뿍 받은 안쓰러운 아이야. 네 소원을 들어주마."

눈앞이 강렬한 빛으로 가득 찼다. 세 사람의 주변에 강한 바람이 모여들어 어린 초목들을 뒤흔들고 노래하듯 나뭇잎을 흔들었다.

미네르바의 몸이 빛이 되어 부서지듯 하늘로 떠올랐다. 커다란 눈알, 가느다란 목, 로브 밖으로 삐져나온 고목 같은 팔목과 손가락들이 잘게 잘린 햇살이 되어 갔다. 그것을 보고 있던 라롤라는 빛 조각을 껴안아 그러모으며 갓 태어난 아기처럼 엉엉 울었다.

점차 형태를 잃어 가는 미네르바가 손을 내밀어 라롤라의 부드러운 볼살을 쓸었다. 그러자 태양처럼 반짝거리는 찬란한 빛이 라롤라의 심장과 미네르바의 심장을 실로 엮어 내더니 둘을 모두 껴안은 채 세상에서 사라졌다.

키키는 처음이자 마지막으로 보게 된 아름다운 마법에서 눈을 떼지 못하다가 빛 덩어리가 영문도 알지 못한 채 사라져 버리자 황망하게 고사리밭을 헤집었다. 점차 꽃밭의 나비들처럼 떠다니던 불빛마저 사라져 갔다. 키키는 눈깔 괴물이 대가로 라롤라를 데려갔음을 알았다.

"라롤라……."

키키는 돌멩이처럼 동그랗게 몸을 말고 흐느꼈다. 숲 속엔 텅 빈 오두막만 우뚝 자리를 지켰다. 고사리밭에 크고 작게 눌린 자국만이 그들이 이 자리에 있었다는 걸 알려 주고 있었다.

어 홀 뉴 월드
A Whole New World

7월 1일

7월 1일부터 7월 6일은 우르르 쏟아지는 빗물로 새하얀 상담소 바닥이 축축해지곤 했다.

"이맘때면 오이나 참외가 많이 나와요. 내가 아파트 텃밭에 키우던 호박도 잘 여물었지요. 선생님한테도 몇 개 가져다 드릴게. 아…… 아니지. 옆집 박씨 아저씨한테 다 줘 버렸던가. 왜 그걸 다 줘 버렸지……? 여하튼, 제철 과일이나 채소는 챙겨 먹는 게 좋아요. 내가 어제 호박전을 부쳤는데—."

눈앞에서 5분 넘게 제철 음식의 효능을 말하는 여자의 늘어진 눈꺼풀에서도 물이 끝없이 주룩주룩 흘러내렸다. 창백한 빛깔의 상담실에는 심리적 안정을 위해 틀어 놓은 음악이 잔잔하게 흘러나오고 있었지만 그다지 효과는 없어 보였다.

"아, 거참. 내가 왜 이러지……."

나도 도통 영문을 모르겠네요.

상담사가 모르겠단 말을 할 순 없으니, 티슈라도 한 움큼 뽑아 건넸다. 책상 건너편에 다소곳이 앉아 있던 그녀는 두 손을 뻗으려다가 머뭇거리더니 이내 한 손만 내밀어 티슈를 받아 갔다. 그녀는 애지중지하며 꼬옥 쥐고 있던 흰색 털실 뭉치로부터 차마 두 손을 모두 떼지 못하는 듯했다.

나는 그녀가 저 귀염성 하나 없는 털실 뭉치 때문에 이곳을 찾아온 것이 틀림없다고, 눈가를 훠며 생각했다.

"사랑스러운 털실이네요."

"아, 그렇지요? 사랑스럽지요?"

더위에 축 늘어진 갈색 이파리처럼 매가리 없던 여자의 얼굴에 금세 화색이 돌았다.

역시. 수습위원회에서 세운 이 상담소 내에서 나름 젊은 엘리트 취급을 받는 나 아니던가. 10분마다 3만 원이라는 값비싼 미터기가 달린 상담소에서 빙글빙글 말을 돌리는 것은 내 성미에도 맞지 않지만, 내담자에게도 좋지 않다.

여자는 주름이 자글자글한 손을 털실에 살포시 올리며 말을 이었다.

"반년 전쯤이었나. 아파트 근처를 한 바퀴 도는데, 바닥에 허연 물체가 덩그러니 떨어져 있는 거예요. 그것이 나와 눈이 마주치니까 데굴데굴 굴러가대요? 좀 급했는지 실 끝자락을 떨군 줄도 모르고 굴러가길래 졸졸 따라갔지요. 이리저리 엉켜서 풀리지 않을 것 같던 털 뭉치가 기특하게도 잘만 굴러가더라고요. 그 뭉치가 곧 다 풀려 버린 채로 기다란 흰 줄기가 되어 차디찬 바닥에서 움찔움찔 떠는데, 그대로 둘 수가 없어서 제가 거뒀어요. 그리고 금세 사랑에 빠졌지요. 응, 내가 사랑하지요, 우리 복실이. 그런데 말이요, 선생님. 우리 복실이가 영 힘이 없어요. 주인이 힘이 없으니 야도 따라서 이러는지……. 이런 건 안 닮아도 되는데 말이에요. 역시, 7월이 되어서일까요? 이 아이는 사람이 아니니까 내 곁에서 사라질 리가 없는데, 그죠? 언제나 나와 함께할 텐데. 7월 7일이 돼도 분명 없어질 리가 없잖아요, 그렇죠 선생님?"

상담실에 찾아온 내담자들은 주로 초점이 잘 맞지 않는다. 그녀도 그랬다. 털실의 결이 무너질세라 조심스러운 그녀의 손길과 달리, 제 자신은 어머니의 손을 놓친 어린아이처럼 안절부절못했다.

나는 그런 그녀의 손을 맞잡았다. 그녀가 털실을 쓰다듬는 것을 멈추곤 자신을 붙잡은 내 손을 바라봤다. 그러곤 내 엄지에 자리 잡은 선명한 점에 초점을 맞췄다. 차디찬 내 손이 그녀의 정신에 찬물을 붓는 역할이라도 한 것 같았다. 과거와 미래, 어딘가에 둥둥 떠다니는 초점이 그제야 현재로 맞춰졌다.

나는 다 이해한다는 듯 고개를 끄덕이며 말했다.

"어머님. 갈수록 외롭기도 하고, 호박을 나눠 줬나 안 줬나 헷갈리기도 하고, 이래저래 전 같지 않지요? 그래도 이제껏 굳세게 잘 살아오셨잖아요. 마음이 공허하거나 기억이 가물가물한 건 자연의 섭리 같은 거예요. 이를테면 우리, 나이 먹는 걸 무서워하진 않잖아요, 그죠?"

"……맞아요. 나이 먹는 것 따윈 하나도 무섭지 않아요."

"7월 7일에 세상이 바뀐다 해도 중요한 건 오늘을 잘 살아 내는 거예요. 여름 호박도 드시고, 또 가을이 되면 감도 따 먹고 하면서요. 어머님은 충분히 잘하고 계셔요."

"복실이…… 가을이 와도 우리 복실이와 함께겠지요?"

그녀가 날 울듯이 웃으며 바라보았다. 나는 그녀의 정상적인 삶을 위해 흔쾌히 빙긋 웃어 보이며 말했다.

"당연하죠."

그녀는 내가 이 한 마디만을 내뱉어 주기를 기다렸다는 듯 후련하게 웃으며 털실에 볼을 부볐다. 소름 끼치도록 새하얗게 관리된 그것이 우글우글한 몸뚱이를 꿈틀거리며 그녀의 푹 패인 볼을 간지럽혔다.

“수습위원회 분들은 모두 다정해서 위로가 돼.”

살아 있는 사람의 허황된 말 한마디와 살아 있지 않은 실뭉치에 기대는 것이 정말 위안이 되는 걸까. 그녀의 불안에 공감할 수 없는 나는 알 수 없었다.

✦

상담실 밖으로 나서자 방음벽에 가려져 들리지 않던 전화벨 소리가 정신없이 귀를 때려 댔다. 로비를 지키던 직원들은 전화 받으랴, 당장 상담을 받고 싶다는 손님들 돌려보내랴, 정신이 없었다.

상담사도 나름 공무원이라고 저녁 여섯 시면 칼같이 퇴근하는 것을 다행으로 여겨야 하나. 나라에서 세운 상담소가 아니라 사립 상담소였다면 아마 이맘때면 쉬지 않고 일하며 돈을 쓸어 담았을 거다.

이 세상에 나이 먹는 걸 무서워하는 사람은 없다. 단지 순식간에 1년이란 시간을 보내고 다시 마주하게 된 7월의 시작에 벌벌 떠는 사람만 수두룩할 뿐이다.

7월 7일. 드디어 타임머신이 개발됐다며 세상이 떠들썩하던 날. 동시에 애꿎은 한 사람이 뒤틀린 시간의 차원으로 빨려 들어가면서 이변이 시작되었다는 것을 알게 된 날이다.

전쟁과 환경 문제로부터 세계를 구하는 데 쓰겠다던 타임머신이 1년에 단 한 사람을 뽑는 로또 기계가 될 줄, 연구자들은 알았을까. 확실한 건 매년 7월 7일에 무작위로 한 명이 1년 전으로 돌려보내진다는 기이한 규칙을 깨달았을 때는 이미 늦어 버렸다는 사실이다.

겁쟁이가 되어 버린 연구자들이 더한 사달이 날까 타임머신을 발전시키지도 부수지도 못한 채 방치하는 동안 25년간 스물다섯 명의 인간이 시간의 틈새로 시간 여행을 떠났다. 그들의 1년은 세상을 바꾸고도 남았겠지만, 그 누구도 무엇이 바뀌었는지 알아차리지 못했다. 타임머신 기록에 매년 1이라는 숫자가 추가되는 것을 보아 '또 한 사람이 시간의 틈새로 들어갔구나' 짐작할 따름이었다. 그래도 인류가 SF나 판타지 세계에서만 꿈꾸던 시간 여행을 할 수 있는 날이 머지않았다며 사람들은 설레었다. 자신이 첫 시간 여행자라던 사람이 방송에 출연해 영웅담을 공공연하게 떠벌리기 전까지는 말이다.

"제가 1년 전으로 돌아가서 한 건 떼돈을 버는 일뿐이었는데, 신기하게 동생은 파혼을 하고 제가 예뻐했던 친구네 조카는 태어나지도 않더라고요. 하다못해 대통령도 다른 사람이 뽑히더라니까요? 나비 효과라는 게 참 신기해요. 놀랍긴 하지만 죄책감을 가지진 않기로 했어요. 나도 엄연히 사고의 피해자니까요. 솔직히 1년 전으로 돌아갔는데, 지난 1년을 그대로 재현할 사람이 어딨겠어요. 불가능하기도 하고. 제가 집에서 잠만 잔다고 해서 세상이 안 바뀌는 것도 아니고요."

바뀐 세상에 책임을 질 수 있는 사람이 없었다. 각 나라는 시간 여행자들에게 꼭 자진 신고하라고 강력히 권고했으나 자신이 시간 여행자라고 말하는 사람은 나타나지 않았다. 첫 번째 시간 여행자가 방송에 나온 지 얼마 지나지 않아 살해당한 영향이었다.

매해 나비 효과로 인한 피해자만 우후죽순 속출했다. 정신적인 스트레스와 우울감이 진짜 나비 효과 때문인지는 알 수 없었지만 새로운 사회 문제가 발생한 것이다. 그렇게 시간 여행 수습위원회가 설립되었고, 상담소가 세워졌다. 상담사라고 해 봐야 매뉴얼을 읊는 로봇 같은 사람들이지만.

엄마는 우리가 감히 신의 영역을 건드려서 천벌을 받은 거라고 했다. 종교도 없으면서 그것 참 인스턴트식

신앙심이다. 정작 25년 전의 엄마는 나를 낳느라 천지가 개벽하던 날의 뉴스를 보지도 듣지도 못했다고 한다. 어쩌면 영영 모르는 편이 나았을지도 모르지.

엄마는 상담소에 찾아오는 내담자들과 닮았다. 7월이 되면 먼지 쌓인 앨범을 하나하나 들추면서 침울해하거나 "어찌하나, 불쌍해서 어째."라며 중얼거렸다. 딸이 명색이 나라에서 세운 시간 여행 수습위원회 상담사로 일하는데……. 교육자가 자기 자식은 교육 못 시킨다더니 딱 그 꼴이 내 꼴 아닌가 싶다.

엄마는 운 나쁘게 타임머신 영향 아래 태어난 타임슬립 베이비 세대인 나를 안타까워하지만 정작 나는 왜 엄마가 그토록 7월마다 구슬피 우는지 이해할 수가 없었다. 어른들에게는 완전히 새로운 세상일지 모르나, 세상은 바뀌어 가는 것이 이치가 아닌지? 1년 동안 얻은 무언가가 누군가의 시간 여행으로 인해 송두리째 사라져 버린다면 억울하긴 하겠다마는, 어차피 기억하지 못한다면 상관없지 않나 싶다. 되레 나는 시간 여행으로 생긴 우울과 혼란을 수습한다는 그럴듯한 직업마저 얻었으니 '덕'이라 불러도 이상하지 않다. 내게 7월의 시작은 장맛비에 젖은 양말 끝이 신경 쓰이는 시기 정도였다.

"미리내는 오늘도 딱 맞춰서 끝냈네."

뒤늦게 마지막 상담을 끝내고 휴게실로 들어온 윤경

이 한숨을 푹 내쉬며 말했다. 윤경은 내가 일하는 지점에서 유일한 또래 상담사였는데 항상 상담 시간을 오버해서 끝내는 경향이 있었다.

“늦었잖아. 난 벌써 옷도 갈아입었는데.”

“미안 미안. 오늘 내담자가 유난히 상태가 안 좋아서……. 중간에 끊고 나올 수가 없더라고.”

“어렵게 생각 말라니까. 그냥 심한 건망증이 있다고 생각하고 대하면 편해. 좀 심한 경우엔 인지이상증이라던가. 괜히 복잡하게 생각할 것 없어.”

“그건 네가 실력이 좋아서 그렇게 간단히 말하는 거래두.”

윤경이 새하얀 상담복을 벗으며 진이 빠진 듯 고개를 설레설레 저어 보였다.

“미리내 너는 시간 여행자가 되어도 상담 일 안 그만둘 것 같아.”

“음…… 어떠려나.”

“사실 네가 이번 시간 여행자 아냐?”

“풋, 그랬으면 좋겠네.”

“만약 그러면 뭐 할 건데?”

“글쎄, 주식?”

“재미없긴. 하기야, 우리 같은 소시민이 1년 전으로 돌아간다고 해 봐야 뭘 하겠니.”

금세 연말 파티라도 가듯 화려한 핑크색 레깅스와 진한 립스틱을 바른 윤경이 내 어깨를 팡팡 때리며 휴게실 문을 밀었다. 윤경과 나란히 로비로 나가자 중년의 상담사들이 퇴근하는 길목을 가로막고 바글바글하게 진을 치고 있다가 일제히 우리를 바라봤다.

“윤경 씨, 미리내 씨. 기다리고 있었잖아. 오늘 기원회 당연히 참여하지?”

최 상담사가 벗어진 머리를 쓰다듬으며 집에 갈 생각이 없다는 듯 로비에 기대어 말했다. 종교 모임 같은 이름의 기원회는 온전한 추억을 기원한다는 모임이었다. 분명 시작은 타임슬립 이전에 태어났던 중노년층 사이에서 유행하는 의식 같은 거였는데, 상담소 내 직원들이 대부분 중년이다 보니 7월이면 자연스레 기원회가 열리곤 했다. 나비 효과로 사라질지도 모르는 동료를 위해 송별회를 해 준다는 건데, 퍽 웃기지도 않은 모임이었다. 처음 상담소에 취직했을 때만 해도 돈 굳는 식사 자리라고 생각하고 다 참가했었는데, 다들 누군가가 떠나가기라도 하는 것처럼 내내 서글퍼 하거나 뒤가 없는 것처럼 부어라 마셔라 하는 통에 안 그래도 바쁜 7월 초가 끔찍하게 느껴지곤 했다. 한여름에 참가하는 울음바다 송별회라니. 어떤 변명을 해서라도 빠져나가고 싶은 심정이었다.

"에이, 최 상담사님. 저랑 미리내랑 오늘 소개팅 있어서 안 돼요."

"7월같이 중요한 때 무슨 소개팅?"

"아…… 20대들 사이에서 운명의 상대를 찾니 뭐니 하는 게 유행한다더니 진짜가 보네?"

"무슨 소리야, 그게?"

무리에서 비교적 젊은 축에 속하는 까까머리의 마 상담사가 어깨를 으쓱이며 말했다.

"그, 일본에서부터 유행하던 게 우리나라로 넘어왔다잖아요. 7월 1일에 소개팅해서 칠월 칠석까지 서로를 기억하면 운명의 짝이라나."

굳이 바로 퇴근하지 않고 윤경을 기다리고 있던 이유가 있었다. 나는 윤경처럼 당당하게 너스레를 떨 성격이 못 됐다. 그것을 아는 최 상담사가 편을 들어 주긴커녕 팔짱까지 끼고는 칙칙한 내 차림새를 위아래로 훑으며 비죽거렸다.

"윤경 씨는 그렇다 치고, 미리내 씨는 의외네? 유행 같은 거 관심 없어 보이는데."

"하하…… 저도 그런 데 관심 많아요."

나도 팔자에도 없는 소개팅을 나가게 될 줄은 몰랐다. 다가오는 기원회에 대한 푸념을 지난 달부터 늘어놓았는데, "기원회에 갈 바에야 소개팅을 나가겠다."고 한 말을 들은 윤경이 진짜로 소개팅을 잡아 버릴 줄은 몰랐다.

최 상담사는 끝까지 내 소개팅의 유무를 의심하는 듯했으나 어머니뻘의 다른 상담사들은 의외로 순순히 우릴 놓아 줬다.

상담소 밖으로 나온 윤경이 "그러니까 내가 오늘은 좀 꾸미고 오라고 했지!"라며 연신 쿡쿡 찔러 대는 통에 옆구리가 욱신거렸지만 성공적으로 땡땡이를 치자 절로 웃음이 나왔다. 어쩌다 퇴근 후에 집도 못 가고 소개팅 자리나 나가게 되었는지는 모르겠지만 뭐든 기원회보다는 나으니까. 맛있는 밥이나 먹고 오자고 생각하며 곳곳이 기원회 모임으로 바글거리는 번화가를 빠져나갔다.

✦

"입맛에 좀 맞으세요?"

"예, 괜찮아요."

"더 괜찮은 데를 예약하고 싶었는데, 7월만 되면 기원회다 소개팅이다, 술집이건 레스토랑이건 꽉 차서…… 아, 우리도 소개팅을 하고 있긴 하지만요. 그래도 여기 꽤 유명한 맛집이에요. 이 시기에 인기가 없을 뿐이지……"

조명으로 반짝거리는 로맨틱한 분수 앞에서 만난 소개팅 대상이 만나자마자 안절부절못하기에 무슨 일인가 했더니만. 약속 장소로 가면서 파스타일까 스테이크일까 고민하던 게 무색하게 이 남자가 데려온 곳은 바지락 칼국수집이었다.

처음엔 일부러 물을 먹이는 건가 했다. 일하던 그대로 긴 머리를 질끈 하나로 묶은 채 칙칙한 쥐색 레깅스를 입고 나타난 여자에게 실망해서 칼국수나 먹고 떨어지란 걸까 하고. 그런데 연신 티슈, 수저, 물컵 따위를 놓아 주면서 어떻게든 조금이라도 만회하려고 애쓰는 것을 보면 아니었던 모양이다.

솔직히 말하자면 정누림이라고 자신을 소개하는 남자를 보고는 조금 도망가고 싶었다. 분명 팔다리에 딱 달라붙는, 활동의 편안함과 기능성을 중시하는 게 요즘 유행 아니던가. 바람이 불 때마다 펄럭거리는 그의 오버핏 셔츠와 바지는 멀찌감치부터 너무 눈에 띄어서, '제발 내 소개팅 상대가 아니길' 빌어야만 했다. 하다못해 머리라도 평범했으면 모를까. 쫙 올백으로 부풀려 올린 머리는 고대 유적지와도 같은 바버샵이란 곳에 다녀온 것이 틀림없었다. 그는 자신의 몸뚱이를 그릇 삼아 과거의 산물들을 그득히 담고 있는 것처럼 보였다. 안 그래도 우스꽝스러운 모습으로 소개팅 자리에 나온 그가 대뜸 바지락 칼국수집에 데려오니 오해할 만도 했다.

이러나저러나 칼국수는 맛있었다. 허름한 가게 간판에 '역대 대통령들 맛집'이라고 덕지덕지 붙여 놓을 만했다. 불만이라고 한다면 저 먹음직스럽게 윤기 나는 김치를 집어 먹지 못하는 것 정도였다. 굳이 잘 보이고 싶은 건 아니었지만 처음 보는 남자 앞에서 빨건 고춧가루를 이에 낀 채로 웃는 건 사양하고 싶었다.

누림은 내가 칼국수를 먹는 모습을 지그시 바라보더니 오버핏 셔츠 자락을 걷어붙이며 말했다.

"잘 드시는 것 같아서 다행이에요. 제가 괜찮은 곳 잡는다고 떵떵거려 놓고 이런 데로 데려와서 만나자마자 집으로 돌아가시는 건 아닐까 걱정했거든요."

"처음 만난 사람이랑 입술 쭉 내밀면서 조개껍데기에 담긴 국물을 쪽쪽 빠는 경험은 생경하긴 하네요."

그의 얼굴이 삽시간에 벌게지기에 서둘러 "비꼬는 거 아니에요. 농담한 건데."라며 해명해야만 했다. 그는 나와 동갑이라면서 나이답지 않게 과히 순수한 반응을 보였다.

"크흠, 김미리내 씨. 리내 씨. 이렇게 부르니까 꼭 외국 이름 같네요. 리내 씨라고 불러도 되나요?"

"편하신 대로 부르세요."

"리내 씨는 무슨 일을 하시나요?"

누림이 자기 얼굴색과 닮은 김치에 젓가락을 대기에 나도 그제야 김치를 한 젓가락 하며 답했다.

"시간 여행 수습위원회 소속 상담사로 일해요."

"아…… 수습 상담사."

"그렇게도 부르죠."

"수습이 되나요, 그게?"

역시 이놈은 일부러 맥이는 거다 싶어서 머금고 있던 칼국수 면발을 끊지도 않고 그의 얼굴을 째려보았다. 그런데 생각했던 것과 달리 그의 얼굴은 어쩐지 서글퍼 보였다. 그는 기분이 얼굴에 훤히 드러나는 사람이었다. 오해를 하려다가도 그의 얼굴만 보면 1초 만에 오해가 풀렸다. 지금 그의 얼굴은 꼭 7월의 엄마 얼굴 같았다.

"뭐…… 그런 말도 있잖아요. 수습위원회가 하는 일은 시간 여행 수습이 아니라 민심 수습이라고."

이번에도 나는 웃자고 한 소린데 누림의 눈 밑은 여전히 어두컴컴했다. 그가 억지로 웃어 보이는 것을 보곤 습관적으로 튀어나오려던 말을 삼켰다. 여긴 상담소가 아니라 소개팅 장소니까.

나는 그의 얼굴을 보지 못했다는 듯이 대수롭지 않게 말을 이었다.

"누림 씨는 직업이 뭐예요? 아, 아니다 힌트를 주시면 제가 맞춰 볼게요. 분위기도 풀 겸."

"하하, 그래요. 음…… 뭐라고 하면 좋을까. 저는 발만 세 개예요. 항상 유일한 한 손으로 발을 문질러 대지요."

"……파리라도 되나요?"

그는 채신없이 크게 푸하 웃어 보이더니 빈 스테인리스 컵을 왼손에 끼워 넣고 뽀득뽀득 닦는 시늉을 하며 말했다.

"너무하시네. 파리라뇨. 정답은 구두닦이예요."

구두닦이라니. 그는 차림새부터 시작해서 직업까지 예상에 들어맞는 게 단 하나도 없었다.

"흔치 않은 직업이죠?"

"처음 보는 직업이긴 한데…… 생각해 보니 이상할 건 없네요. 집마다 로봇 청소기는 있어도 구두 닦는 기계는 없으니까요."

"그렇죠? 제가 이 일을 하면서 느낀 건데, 가만 보면 사람들은 기계보다 사람 쓰는 걸 더 좋아하는 것 같아요. 그래서인지 의외로 용돈 정도는 가볍게 벌리더라고요."

"용돈이라고 하시는 것 보니까 본업은 아니신가 봐요."

"아, 사실 구두 닦는 건 본업을 하기 위한 부업이고요. ……본업은 화가예요."

그는 구두닦이라는 소박한 일을 말할 땐 뿌듯해 보였

지만 어쩐지 본업을 말할 때만큼은 망설이는 것 같았다. 꼭 고백이라도 하는 양.

화가. 내겐 구두닦이보다도 생소한 단어였다. 살면서 화가라는 단어를 입 밖으로 꺼내 본 적이 없어서 내가 아는 화가가 그 화가인지 다시금 생각해야만 했다. 인간이 타임머신의 영향력 아래에 있게 된 뒤로 예술은 AI가 장악한 지 오래였다. 예술은 사람의 넋을 빼 놓는 위험한 일이었다. 7월 7일만 되면 혼신을 다해 완성한 작품을 낯설게 느끼거나 누군가에게 빼앗겼다며 미치는 사람이 한둘이 아니었기 때문이다. 상담소에도 종종 예술을 잃은 것으로 추정되는 어르신들이 찾아오곤 하는데, 그 경우엔 중년의 상담사가 담당하곤 해서 예술가를 직접 본 건 처음이었다.

"……누림 씨는 지금껏 괜찮았나요? 예술을 잃은 상실감이나 공허함은 말로 표현할 수가 없다던데. 보통은 뭐가 바뀌어도 나비 효과 때문에 알아차리지 못하잖아요. 근데 예술가들은 선명하게 느낀다면서요. 그…… 뭐라더라. 인생을 송두리째 빼앗긴 감각 같은 거."

칼국수 국물에 잠긴 바지락을 잡기 위해 집중하는데 앞에서 대답이 들려오지 않았다. 무심코 실례인 말을 내뱉었다는 걸 깨닫고는 아차 싶어 고개를 들었다. 그러곤 알아차리고 말았다. 도통 요즘 애들답지 않은 그가 운명의 짝 찾기 소개팅에 어울리게 된 진짜 이유를. 이놈의 직업병은 사람의 약점만 귀신같이 잡아낸다.

놓쳐 버린 바지락이 그릇 바닥으로 가라앉았다. 역시 어울리지도 않는 소개팅 자리에 나오는 게 아니었다. 그런 내 기분을 꿰뚫어 본 듯 누림이 물었다.

"리내 씨는 사실 소개팅에 나오기 싫으셨죠?"

"……벌써 들켰나요?"

"하하, 사실 만나자마자 알았어요. 어쩌다 나온 거예요?"

"실은, 기원회에 참가하기 싫어서 대신 소개팅을 잡았어요. 제 직장에는 중년층이 대부분이라 무조건 참여하는 게 암묵적인 룰이거든요."

"아 그거 난감하긴 하죠."

"그렇다니까요."

우리 사이에 어색한 웃음이 오갔다.

분위기가 처음부터 나쁘진 않았는데 언제부터였을까. 그가 옷을 펄럭이며 나타났을 때부터? 아님 그가 젠틀하게 허름한 노포의 문을 잡아 주며 들어가라고 할 때부터? 아니, 우리가 서로의 직업을 알았을 때부터였던 것 같다.

"누림 씨는 참 요즘 사람 같지 않은 것 같아요."

"리내 씨는 참 요즘 사람 같고요."

우린 텅 빈 가게 안에서 텅 빈 칼국수 대접만 바라봤다. 운명의 짝은 개뿔이. 로맨틱하다던 7월 1일의 소개팅도 별거 없구나 싶었다. "이만 일어날까요?" 하곤 가방을 드는데 누림이 다급하게 말을 꺼냈다.

"전 진심으로 이 자리에 나왔어요. 괜찮다면 계속 저랑 만나 주실 수 있나요? 칼국수집이나 데려온 주제에 면목 없지만……."

숫기 없어 보이던 그의 손이 내 손 위로 포개졌다. 손이 잡힌 건 난데 그가 더 부끄러운 듯 우물거렸다. 누군가의 손이 내 아래가 아니라 위로 포개어진 게 오래간만이라는 생각이 들었다. 그는 손끝에 심장이 달린 게 아닐까 싶을 정도로 체온이 높았다.

"……계속이라면 언제까지?"

"7월 7일이 될 때까지요. 그게 룰이잖아요. 7월 1일의 소개팅은."

내가 아니었어도 붙잡았겠지.

이 사람은 오늘 내가 소개팅 상대로 나온 것을 감사해야 한다. 괴짜인 그에게 수습 상담사라는 직업이 마뜩찮을지 모르나, 다름 아닌 내 직업 때문에 그를 내치지 못하겠으니 말이다. 그렇다 한들 퇴근 후까지 근무를 하는 기분을 느끼고 싶진 않았다. 타임머신과 시간 여행자가 내 과거와 미래를 바꾼다고 한들, 유일하게 변치 않는 건 내게 주어진 시간이니까. 특별한 게 필요했다. 이를테면, 요즘 애들다운 거.

나는 내 손 위로 덮인 그의 손가락 사이사이를 손끝으로 파고들며 말했다.

"우리, 그럼 좀 더 재밌게 만나 볼래요?"

"재밌게요?"

"7월 7일이 되면 어차피 기억 못 할지도 모르는데, 서로 평소라면 안 할 만한 것들을 해 봐요. 7일이 되고 나서도 기억하면 뭐, 운명의 짝인 거고. 6일 동안 만나 봤는데 영 아니다 싶으면 모두 잊은 것처럼 모른 척해도 되고요. 어차피 우리 서로가 없어진다고 해서 곤란해지진 않잖아요. 이편이 더 재밌을 것 같은데. 전 사실 오늘 이상으로 시간을 쓸 생각이 없었거든요. 집에서 감자칩 먹으면서 섹스하는 게 제일 좋은 사람이라."

누림의 얼굴이 만족스럽게 붉어졌다. 괴짜인 주제에 이상하게 순수한 이 사람은 놀리는 재미가 있었다.

"의외네요."

"뭐가요?"

"그런 데 관심 없는 줄 알았어요."

"꾸미는 데 취미는 없어도 전 누림 씨와 달리 요즘 애들다운 사람이라서요. 말이 타임슬립 베이비지, 사실은 단기 쾌락 중시 세대잖아요?"

우리는 가게 입구에 있던 유리병을 열어 박하사탕을 하나씩 집어 들었다. 그러곤 약속한 것처럼 그것을 서로에게 건네 각자의 입에 물렸다. 우리 입안에 같은 맛이 맴돌았다.

7월 2일

오늘도 복실이 이야길 들었고, 퇴근길을 막아서는 상담사들에게서 데이트를 핑계로 빠져나온 뒤, 아직 환한 저녁에 반짝이는 분수대 앞에서 누림을 만났다. 역시나 그의 옷은 펄럭였으며 그럴듯한 식당들은 모두 자리가 없다는 이유로 분식집의 순대를 포장해 누림의 집에서 먹기로 했다.

우린 식탁에 순대를 내려놓기도 전에 서로 몸을 붙였다. 그가 평소라면 하지 않을 행위, 내가 좋아하는 행위. 부러 식어도 괜찮은 음식을 택한 걸 이 남자는 알고 있을까.

나는 그의 목을 껴안고 귓바퀴를 살며시 쓰다듬었다. 내 생각에 인간의 신체에서 가장 살결이 보드라운 부위는 귓바퀴와 골반에 쏙 들어가는 장골이다. 만져도 만져도 중독적인 감각. 곧바로 장골로 내려가면 이 남자가 너무 놀랄 테니 천천히 손을 내려 내 목엔 없는 톡 튀어 나온 구슬을 눌러도 보고 굴려도 보다가 펑퍼짐한 셔츠 깃 아래로 손끝을 넣어 쇄골을 매만졌다. 달라붙지 않는 옷이 이런 점에선 좋구나 싶었다.

그가 바닥에 놓인 매트리스로 나를 이끌었다. 후덥지근한 여름밤 공기가 고여 있는 침실은 시간이 멈춘 듯 고요했다. 그가 터질 것처럼 새빨개진 얼굴로 위에서 내 얼굴을 바라봤다. 어쩌지도 못하고 우물쭈물하는 그의 표정을 보니 나도 모르게 웃음이 새어 나왔다. 고리타분한 이 사람이라면 어느 정도 속도로 진도를 빼야 적당한 걸까 가늠해 보고 있는 것일지도 모른다.

나는 가만히 팔을 들어 그의 두개골을 가슴에 묻었다. 흉곽을 안는 것과 두개골을 안는 건 꽤 다른 감각이다. 두개골을 안고 있다 보면 어쩐지 내가 소중한 무엇을 소유하고 있다는 기분이 든다. 누구에게도 쉽게 허락하지 않는 부위들. 우리는 그것들을 고작 하루 만난 상대에게 내어 줬다. S극과 N극이 몸을 붙이는 일은 꽤나 자극적인 일이라, 7일이 되면 아쉬울 것만 같은 예감이 들었다.

7월 3일

“재밌나요?”

대답 없이 끄덕이는 실루엣이 보였다. 누림은 손바닥 두 개를 겹친 정도 크기의 수첩에 내 몸을 그리고 있었다.

오늘은 내가 절대 하지 않을 일을 할 차례였다. 그는 내 몸을 그리고 싶다고 말했다. 어떤 포즈를 취하면 되냐고 물었더니 평소처럼 있으라고 해서 가만히 누워서 감자칩을 먹었다. 이렇게 움직여도 상관없는 건가 싶었는데 열심히 손을 놀리고 있는 것을 보면 사진과 달리 그림은 상관없나 보다.

누림은 알몸인 나를 배려해서 에어컨도 틀지 않고 전등도 켜지 않은 채 그림을 그렸다. 어두컴컴한 방 안에서 창문 아래에 누워 있는 내 몸 위로 어스름한 저녁 빛이 떨어졌다. 도시 한복판에 살면서 완전한 어둠을 느껴본 적이 없었는데 옛것들로 가득 찬 그의 방은 밤이면 눈앞에 팔을 휘둘러도 아무것도 보이지 않았다. 식도로 음식물만 가만히 밀어 넣고 있으니 꼭 엄마의 뱃속으로 돌아간 것만 같았다.

“어렵지는 않은데 썩 재밌는 일은 아니네요.”

“하하, 대화라도 할래요?”

"그래도 돼요?"

"그림은 손으로 그리는 거니까요."

그렇구나.

나는 무슨 이야길 하면 좋을까 고민하다가 이 방에 왔을 때부터 궁금했던 것을 물었다.

"왜 그림이 다 포장돼서 쌓여만 있어요? 꼭 창고처럼."

대화를 하자던 그에게서 바로 답이 들려오지 않았다. 어두컴컴해서 그의 표정이 보이지 않았다.

"방에 전시라도 하면 좋지 않나. 인테리어도 되고."

"내 것이 아니에요."

"이렇게나 많은데요?"

"내 것이지만, 분명 내 것이 아니에요. 나비 효과 때문에 진짜 내 그림들은 어디론가 사라져 버린 게 분명해요."

"그걸 어떻게 알아요?"

"그중에 마음이 움직이는 그림이 단 한 점도 없거든요."

그게 뭐람.

나를 그리고 있던 누림은 내 표정이 훤히 보이는지 피식 웃으며 말했다.

"나 같은 사람이 상담소에 가는 거 아닌가. 많이 봤을 것 같은데."

"나는 예술가 못 맡아요. 상담 매뉴얼은 숙지하고 있는데, 내담자들 쪽에서 젊은 상담사를 원치 않거든요. 공감 못 해 줄 걸 아니까."

"매뉴얼대로면 뭐라고 해 줄 건데요? 내가 상담소에 가면. 미리내 선생님, 연필로 끄적이는 습관은 있는데 이상하게 방 안에 내 그림은 없는 것 같아요, 하면?"

"과거를 의심하고 붙잡으려고 하지 마세요— 하겠죠."

"와, 진심으로 너무 냉정하네요."

"이성적인 거죠."

요즘 시대엔 기억도 기록도 의미가 없다. 하다못해 일기를 아무리 열심히 써 봐야 운명에 따라 제멋대로 모조리 재구성될 텐데 무슨 의미가 있나. 그렇다 한들 붙잡지 못했다며 서글퍼할 필요도 없다. 원래 기억은 수정되는 거니까. 아무리 되새겨도 마모되고 마는 것이 기억인데 굳이 7월 7일 이전과 달리 기분이 싸하다고 우울해하는 건 내게 한정된 시간을 낭비하는 것과 다름없다. 적당히 벌고 최대한 즐기면서 살면 그만 아닌가. 심플하게.

"괴로운데 왜 계속 그림을 그리는 거예요? 그, 실례인 건 아는데 너무 궁금해서."

그는 대답을 고민하는 것인지 기분이 상한 것인지 또

한참 대답이 없었다. 고요한 방 안에서 감자칩 봉지가 부스럭거리는 소리와, 그의 손 움직임에 따라 종이에 스치는 셔츠 자락 소리, 그리고 땀이 고인 살 주름이 내는 축축한 소리만 귀에 들려왔다.

누림은 그리던 그림과 나를 비교하듯 번갈아 바라보다가 나지막이 입을 열었다.

"예술은 낭만이 없으면 못 해요. 리내 씨 말마따나 요즘 같은 때는 더더욱이. 푹푹 발이 빠지는 모래사장에 열심히 발자국을 냈는데, 금세 파도가 휩쓸어서 온 데 간 데 흔적도 없이 사라지는 것만큼 허무한 것도 없으니까요. 그렇다 해도 바다를 뛰노는 건 낭만 있잖아요. 아무도 기억하지 못해도 나만은 그 발자국을 기억하는 거예요. 가슴으로나마. 되게 오글거리는 말인 거 아는데, 난 그렇게 믿고 계속 그림을 그려요."

"그럼 나도 누림 씨 가슴에 계속 남게 되나요?"

"이 그림을 완성하면 그렇겠죠?"

가슴이 바다 멀미를 하듯 울렁거렸다. 이해도 안 되고 의미도 모르겠고 공감도 안 되는데 그의 허황됨에 안심이 됐다. 왜?

그가 어둠 속에서 내 이름을 불렀다.

"리내 씨. 다 그렸어요. 이리 와 봐요."

내 이름 같지 않은 이름으로 나를 부르는 그의 목소

리를 찾아 손을 휘적였다. 등대의 불빛을 찾아가듯 목소리가 들리는 방향으로 천천히 손을 뻗어 그의 살갗을 찾았다. 손끝으로 매끈하게 정돈된 그의 머리가 만져졌다.

그가 건넨 종이를 들고 창문 가까이 다가갔다. 푸르스름한 빛이 내려앉은 종이 위에 낯선 내가 있었다. 이로써 누군가에게 영영 기억된다. 상상해 본 적 없었다.

뒤에서 누림이 팔을 둘러 왔다. 그의 입에선 오늘도 박하사탕 맛이 났다.

7월 4일

누림 씨. 오늘은 엄마를 보러 가야 해서 같이 저녁 못 먹어요.
내일 봐요.

페인트칠이 다 벗겨진 낡은 아이보리빛 담장 앞에서 메시지를 전송했다.

그래요.

아쉬움이 보이지 않는 답장. 이 사람은 표정을 보지 않으면 무슨 생각을 하는지 모르겠다. 아쉽지 않은 걸까. 정말로?

괜히 못마땅하게 콧김을 내뿜다가 궤—엑 소리를 내는 초인종을 눌렀다. 제발 좀 고치면서 살라니까 말을 참 안 듣는다.

얼마 지나지 않아 덜컹 하고 묵직한 철문이 열렸다. 담장 안엔 호박, 주키니, 해바라기, 수국 따위가 통일성 없이 키만 멀대같이 자라 있었다. 그 모습은 마치 엄마의 기원을 담은 부적 같기도 해서, 여름 햇볕을 머금은 텃밭이자 정원은 귀신이라도 나올 것처럼 으스스했다. 정돈되지 않은 이파리와 줄기들 때문에 걷기조차 힘들었다. 오늘 때문에 새로 산 여름용 검은색 레깅스까지 영 탄력이 별로라서 다리가 갑갑했다. 칙칙한 옷이 취향인 내게도 검은색은 과하게 어둡다.

등록된 홍채를 인식하고 현관으로 들어가자 발목까지 덮는 검은색 원피스를 입고 있는 엄마가 서 있었다.

"7월엔 집에 좀 오라니까."

"그래서 오늘 왔잖아."

엄마는 오랜만에 보는 딸을 반기거나 안아 주기는커녕 위아래로 훑으며 변함없는 모습을 확인하고는 주방으로 들어갔다.

엄마가 여름에 검은 옷만 입기 시작한 건 3년 전부터였다. 아빠가 돌아가신 건 분명 한겨울인데 꼭 7월에 죽은 것처럼 굴기 시작한 것도 3년 전부터였다.

검은색 옷만 입으니 늘어난 흰머리가 더욱 눈에 띈다. 나는 어두운 옷이 취향이라지만 엄마는 밝은 옷 좀 입으면 좋을 텐데. 나는 내담자들과 누림에게 말한 것처럼 과거를 의심하지 말라는 소리를, 엄마에겐 지금껏 하지 못했다.

내가 식탁에 앉자마자 엄마는 텃밭에서 기른 제철 채소들로 만든 음식들을 끊임없이 내왔다. 엄마는 7월만 되면 내게 집에 오라며 독촉하지만 막상 온다고 해서 특별한 것을 하는 건 아니다. 그저 지금처럼 여름 음식들을 잔뜩 내놓고는 내게 먹인다. 현재를 먹이고 먹이며 나를 이곳에 묶어 둔다. 아빠가 있었다는 증거물을 붙잡고 붙잡는다.

꾸역꾸역 제삿밥 같은 음식들을 입안에 밀어 넣었다. 누워서 감자칩을 먹던 때보다 식도로 음식물을 내려보내는 게 쉽지 않았다.

엄마는 젓가락을 쥐고 있던 내 오른손의 점을 멍하니 바라보다가 물었다.

"변함없니?"

엄마는 이런 식으로 안부를 묻는다. 나는 언제나 "똑같아."라고 말하곤 했는데 오늘은 달리 말할 것이 생겼다.

"애인 생겼어. 구두 닦는."

파트너가 아니라 애인이 생겼다고 말했을 때 내심 어떤 반응을 보일지 궁금했다. 기뻐하실까, 우려하실까.

엄마는 처진 눈꺼풀을 힘주어 올리며 조금 놀란 듯했지만 담담하게 중얼거리듯 말했다.

"……그래. 타임머신이 생긴 세계라도 저절로 구두를 닦아 주는 기계는 없으니까."

있어도 쓰이지 않을 뿐인데. 굳이 입 밖으로 내뱉진 않았다.

나는 괜스레 엄마가 누림의 직업이 탐탁지 않은 걸까 싶어서 주절거렸다.

"그림도 그려. 엄마 젊었을 때는 화가가 흔했지? 요즘에도 예술 재테크를 하는 괴짜들은 얼마든지 있어서, 나름 먹고살 만하대. 현대 작가들 중에 오래오래 살아남은 작가의 작품은 7월 7일마다 값이 치솟는다나? 난 그림은 볼 줄 몰라서 작품성은 모르겠지만. 여하튼 구두닦이도 화가도 괜찮은 직업이래."

엄마는 씹던 거나 마저 삼키라며 손짓하고는 먼저 자리에서 일어났다. 식탁에 앉아 바라보는 엄마의 치마 아래로 주름지고 작은 발이 보였다. 서서 보면 발이 보이지 않아서 꼭 이 낡은 저택을 떠도는 귀신 같다고 생각했는데. 엄마도 바닥에 발을 붙이고 있는 사람이었다.

나는 가득히 담긴 구첩반상을 모두 비우고 나서야 자리에서 일어날 수 있었다. 허리춤과 발목을 답답하게 옥죄는 검은 레깅스 탓에 얼른 내 집으로 가고 싶었다.

엄마는 현관문으로 향하는 내 손을 붙잡고는 제철 채소가 잔뜩 담긴 봉투를 쥐여 주며 말했다.

"네 애인이랑 꼭 같이 먹어."

올해는 유독 봉투가 무겁게 느껴졌다. 우린 어색하게 서로의 눈을 마주했다.

집을 나서기 전에 엄마를 껴안았다. 나보다 키가 작아진 엄마는 곧추서서 껴안아도 내 가슴팍에 두개골이 파묻혔다. 엄마의 두개골은 세게 껴안으면 깨질 듯이 작았다.

✦

보고 싶은데 늦게라도 잠깐 와 줄래요? 나도 일이 늦게 끝나요.

담장 앞에 서서 확인한 핸드폰엔 문자 한 통과 함께 주소 하나가 찍혀 있었다.

주소를 확인하곤 곧장 발을 움직였다. 하늘이 어쩐 일로 맑은 감청색을 띠는데도 꼭 장맛비라도 피하듯 뛰듯이 걸었다. 걸어서 족히 50분은 걸리는 거리였는데도 교

통편을 확인할 겨를이 없었다. 머릿속에 효율이 떠오르지 않았다. 생각할 시간에 서둘러 몸을 움직였다.

여름의 시간은 빠르게 흐른다. 그럼에도 7월 1일이 되면 어린 날 참을성 없이 계단을 두세 칸씩 뛰어 올라가던 때처럼 재빨리 내 눈앞에 7일이 와 있었으면 좋겠다고 생각했다. 고요하고 경건함마저 느껴지는 새로운 세계의 시작이. 그런데 보고 싶다는 그의 문자를 보자마자 우리가 겨울에 만났으면 좋았을 거란 생각을 했다. 장맛비가 내릴 때 말고, 눈으로 좇을 수 있을 정도로 천천히 내리는 함박만 한 눈송이를 맞으면서, 느린 발걸음으로 한 걸음 한 걸음 정성스레 내딛을 때 만났다면 좋았을 텐데.

그러고 보니 구두닦이도 이맘때가 가장 바쁘다고 했다. 구두를 닦는 일은 새로운 세계에 무사히 발을 내딛기 위한 준비 같은 거라고. 생각해 보니 엄마의 신발장 안에는 구두가 참 많았다. 굽이 5센티는 될 법한 빨건 구두부터 술이 달린 새까만 구두까지. 이렇게 누림의 작업장에 가게 될 줄 알았다면 엄마의 구두도 하나 가져올 걸 그랬다.

누림이 보낸 주소로 찾아가니 한두 평 남짓한 직사각형의 창고가 있었다. 망설임 없이 성큼성큼 앞까지 걸어와 놓고는 내 키보다 작은 문 앞에서 한참을 서성거렸다. 주소를 재차 확인하고 있으려니 미닫이문 안쪽에서 거뭇한 장갑이 불쑥 튀어나왔다.

"보러 와 줘서 고마워요. 들어와요."

겉으로 봤을 땐 커다란 생쥐 괴물이 살 것만 같은 창고였는데 안쪽은 의외로 쾌적했다. 오면서 흘렸던 뜨뜻한 땀이 순식간에 차가워졌다. 두 명이 겨우 앉을 수 있는 공간이었지만 냉방 시설도 갖춰진 어엿한 작업장이었다. 구두를 닦는 낡은 천 조각들만 잔뜩 쌓여 있을 줄 알았더니 작업대 위에는 온갖 기계들이 늘어서 있었다. 내가 구두닦이라는 직업을 역사책에나 나오는 직업으로 오해했던 것일지도 모른다. 그가 내부에서 이리저리 움직일 때마다 퀴퀴한 기름 냄새 같은 게 풍겼다. 누림에게서 나던 묘한 살 내음이 구두약 냄새였단 걸 알았다.

누림이 내어 준 동그란 의자에 앉았다. 그는 진짜 일을 할 때 발이 세 개가 됐다. 찝찝할 법도 한데 망설임 없이 구두 안쪽으로 손을 쑤욱 집어넣고는 거무튀튀한 천으로 구두 등을 문질러 댔다. 구두를 닦는 일은 생각보다 힘이 많이 들어가는 듯했다. 빵빵한 냉방 탓에 꼭 냉동 창고 안에 있는 것 같았는데 그의 이마에선 땀이 또르륵 흘렀다. 누림은 굳이 내려다보지 않으면 보이지도 않을 얼룩들을 지우려 애쓰고 있었다.

어쩐지 가슴이 답답하고 얹힌 느낌이 들었다. 분명 저 구두를 맡긴 사람도 7일이 되면 정확히 무엇을 기원했는지 기억하지 못할 텐데. 반들반들해진 구두는 모호해진 의미 하나만 품고 다시 신발장 한구석에 방치될 텐데. 누림은 어떤 기대에 부응하기 위해 땀을 흘리고 있는 걸까.

누림이 고개를 푹 숙이고 있는 탓에 그의 정수리만 보였다. 땀이 구두에 떨어지지 않게 하기 위함인지 챙이 없는 동글한 모자를 쓰고 있었는데 꼭 호두알 같아서 우습고 귀여웠다. 나는 그의 등 뒤로 슬슬 걸어가 모자를 고쳐 씌워 주곤 은근슬쩍 차디찬 손을 그의 목덜미에 가져다 댔다. 축축하고 뜨거운 체온이 옮아 붙는다. 따끈함과 차가움 사이의 경계가 허물어진다. 누림은 움찔대더니 킥킥거리며 내 허리를 감싸곤 나를 무릎에 앉혔다. 그는 금세 장갑을 벗어 던지고 뜨거운 손을 내 등 뒤로 넣어 도장 찍듯 체온을 옮겼다.

그래, 사실 다들 이러려고 만나는 걸지도 모른다. 운명의 짝은 그냥 명분, 뭐 그런 거다. 단기적인 만남일수록 깔끔하고 짜릿하니까.

그런데 뭐랄까. 그와 하는 관계는 어쩐지 달랐다. 어떤 생물과도 나눠 보지 못했던 단단한 교감 같은. 흐물흐물하게 서로에게 섞여 들어가는 것만 같은 요상 망측한 감각.

몸을 구겨 넣어야 하는 작디작은 그의 작업장에서, 그의 무릎 위에서 바다 멀미를 느꼈다. 인정해야만 했다. 이 남자에게 단단히 빠지고 말았다는 거. 근데 그래서 어쩔 건데?

나를 옥죄던 검은 레깅스를 벗어 던졌다. 누구의 것인지도 모를 식은땀이 서로에게 섞여 들어간다. 눈으로, 피부로, 점막으로.

7월 5일

나이가 들수록 겨울보다 여름이 낫다고 생각했다. 살이 아린 추위에 뼈가 시리고 피부가 마비된 것처럼 뻣뻣해지는 것보다야 잔뜩 햇볕을 쐬는 편이 좋았다.

그런데 쨍쨍한 햇볕이 내리쬐는 상담실 창문 앞에 앉아 있는 몸뚱어리가 영 힘이 없었다. 햇볕이 사지와 눈을 모두 앗아간 것만 같았다.

똑똑.

점심시간에 윤경이 도시락을 들고 내 상담실로 들어왔다. 그녀는 7월 5일인데도 참 해맑았다. 전에는 침울한 얼굴만 주야장천 보던 7월에 그녀의 맑은 얼굴을 보는 게 좋았는데, 올해는 이상하게도 거북했다.

"미리내, 올 7월은 실적이 영 좋지 못하네? 덕분에 내가 보너스 받겠어?"

"몰라."

"뭐랬더라? 네가 손만 잡아 줘도 내담자들이 정신을 번쩍 차린다고? 찬 손이 따뜻해지기라도 했니?"

윤경은 눈가를 휘며 얄밉게 생글거렸다.

내 손은 여전히 차디찬데 나를 만난 내담자들은 정신을 차리긴커녕 응어리만 키워 나갔다. 상담실 바닥이 우산에서 떨어진 빗물과 함께 그들이 쥐어뜯은 머리칼들로 뒤섞여 엉망진창이 될 정도였다.

그럴 만도 했다. 달달 외워 간단히 내뱉던 매뉴얼을 내뱉기가 힘들었다. 뇌를 헤집어 내듯 하나하나 살펴보아도 7월 이전의 내가 어떻게 상담했는지를 알 수가 없었다.

"뭐야, 미리내 너 왜 이렇게 피곤해 보여?"

"요즘 잠을 잘 못 자."

"왜? 너 머리만 대면 바로 자는 편 아니었어?"

"자꾸 잠을 참게 돼. 겨우 잠이 들어도 불안해서 깨고."

"왜 그런대. 내가 상담해 줄까?"

나는 윤경의 얼굴을 빤히 바라보다가 한숨을 쉬며

"아니."라고 답했다. 윤경은 내 반응에 상처받았다며 우울한 표정을 지어 보였지만 난 그녀가 전혀 우울하지 않다는 걸 안다.

"그러는 넌 어쩐지 상태가 전보다 더 좋아 보인다?"

"매일매일 좋은 거 하는데 안 좋을 리가 있겠니. 지긋지긋한 7월을 이 맛에 버틴다니까."

"그럼 전이랑 다를 게 없잖아."

"아니지. 다르지. 좀 더 로맨틱하잖아."

"그 사람을 사랑한다는 거야?"

"어우야, 그건 아니지."

윤경이 샌드위치에 든 양상추를 펄럭이며 징그럽다는 듯 손사래 쳤다. 난 그 양상추를 보며 누림의 셔츠 자락을 떠올렸다.

"그럼 너흰 7일이 되면 헤어지는 거야?"

"그건 타임머신님에게 달렸지? 무얼 새삼."

타임머신이라는 단어만 나와도 속이 갑갑했다. 도저히 밥을 먹을 생각이 들지 않아서 랩으로 둘둘 감싸 온 통오이를 꺼내 들었다.

"웬 오이야? 그것도 통째로."

"나 말야. 오이를 아작아작 씹고 싶어. 시원한 오이."

평소 요리를 해 먹지 않은 탓에 어떻게 손질해야 하는지도 몰라서 엄마가 준 오이를 씻어만 가져왔다. 분명 내가 먹어 온 오이는 민둥했는데 이 오이는 선인장처럼 가시가 있어서 영 식감이 별로였다. 그런데도 가지런한 치아 모양에 따라 조각조각 난 오이가 식도를 넘고 몸 안으로 흘러 들어가자 그제야 살 것만 같았다.

나는 이 여름을 살고 있어. 여름에 나는 오이를 몸에 품고.

깨끗하게 정수된 물을 꿀떡 마시니 멈칫거리던 오이 덩어리가 밀려 내려갔다. 이 오이를 몸 밖으로 내보낸다면 내 응어리도 함께 배출될 것이다.

열심히 소화시킨다. 이 여름을 소화시킨다.

7월 6일

우린 혹독한 겨울을 견디는 길고양이들처럼 서로의 몸을 겹치고, 포개며 체온을 나눴다. 헐떡이는 소리와 진득한 땀 내음이 서글프게 느껴지는 건 더 이상 놀이가 아니라 의식이 되어서였을까.

누림은 오늘도 누워 있는 내 몸을 그렸다. 나는 불공평하다며 그에게도 옷을 벗으라고 했다. 커튼을 친 누림의 집은 핸드폰을 들지 않는 이상 지금이 몇 시인지 가늠이 안 됐다. 우린 밝디밝은 형광등 아래에서 서로의 몸을 샅샅이 관찰했다.

널브러져 있는 연필과 종이를 집어 들었다. 생전 처음으로 그려 보는 그림이었다. 그의 얼굴을 그렸다. 깊게 들어간 눈썹 뼈, 뭉툭한 코끝, 볼에 비치는 푸른 핏줄, 흐릿한 입술 산. 그가 말한 대로 그림은 기억하는 행위일지도 모르겠다.

누림에게 그림은 종교와도 같아 보였다. 터무니없는 타임머신의 농락을 커다란 믿음으로 어떻게든 잡아먹어 치우려는 행위. 이런 걸 두고 승화라고 하던가. 그의 그림을 보면 멀미를 앓았던 것도 분명 그런 기도가 담겨 있기 때문일 것이다.

여전히 그림은 참으로 부질없고 위험한 일이라고 생각한다. 종이는 입김 한 번으로 팔랑이지만 그 위에 그림이 얹히면 무거운 족쇄가 된다. 그는 한 장 한 장을 잊을 때마다 공허해질 것이다. 상담소에 찾아오는 초점 잃은 말린 동태들 중 하나가 될 것이다. 종이들이 무게를 더할수록 7월 7일의 심술은 정도를 더해 장난으로는 끝나지 않을 것이다. 시간을 탐낸 것은 우리가 아닌데 왜.

나는 형편없이 그려진 그의 얼굴 아래에 마지막으로 이름을 새겼다.

정누림.

스물여섯 살의 여름에 7월의 마음을 이해했다. 나는 불안하겠지. 언제까지고.

우린 끝까지 사랑한다는 말을 하지 않았다. 서로 믿지도 못할 말을 꺼내지 않았던 것일지도 모른다. 6일이란 시간은 그런 시간이었다.

누림의 방 안이 내 그림으로 가득 찼다. 내 파편들이 바닥을 빼곡히 가렸다. 내 팔, 내 다리, 내 목, 내 손, 그리고 내 얼굴.

끊임없이 그림을 그리는 그를 보는데 잠이 쏟아졌다. 잠들기 싫어 그에게 팔을 뻗었다. 누림은 살며시 다가와 내 두개골을 가슴팍에 안았다. 나는 그의 심장 소리를 들으며 스스륵 잠들었다.

7월 7일

"아이고 미리내 씨, 비 맞았어?"

장마 기간인데도 요 며칠 쨍쨍하다 싶더니 별안간 출근길에 미지근한 여름비가 덮쳤다. 우산을 안 챙긴 바람에 비를 쫄딱 맞은 채로 휴게실에 들어가자 중년의 상담사들이 우르르 다가와 수건과 티슈 따위를 건넸다. 이

상담소에 젊은 사람이라곤 나밖에 없다고 귀염성 하나 없는 사람을 살뜰히 챙겨 준다. 칙칙한 직장 동료 사인데도 딸 같다고 생각하는 건지.

다행히도 7월 7일은 상담소가 한산하다. 출근길도 그랬다. 6일까지만 해도 온 동네가 왁자지껄했는데 7일만 되면 주변이 차분해진다. 다들 새로운 세상에 적응하느라 바쁜 것일까, 아니면 이미 새로운 사람이 되어서일까.

휴게실에서 상담복으로 갈아입고 상담실로 들어왔다. 속옷까진 안 젖어서 그럭저럭 참을 만한데 머리카락에선 여전히 물이 뚝뚝 떨어졌다. 미화 로봇이 애써 내담자들이 흘리고 간 머리카락과 빗물을 치워 줬는데 내가 바닥을 더럽히고 있었다.

괜스레 미안한 마음이 들어 구석진 곳에서 충전 중인 미화 로봇을 바라보고 있자니 그것이 몸을 움직이며 김이 따끈하게 올라오는 머그 컵을 건넸다. 여전히 밍숭맹숭한 차였다. 상담소엔 연한 커피나 묽은 차밖에 구비되어 있지 않아서 영 별로라고 생각했는데. 덕분에 안정되는 기분이었다.

시선을 인식하고 행동한 것이라는 걸 아는데도 어쩐지 위로를 해 주는 것만 같은 기분이 들어서 로봇의 머리를 툭툭 토닥였다. 상담소에서 보는 사람들이 하나같이 중년이라고 나도 닮아 가는지.

똑똑.

빈 시간에 차트를 정리하고 있는데 로비를 지키고 있던 직원이 들어왔다.

"예약 안 하고 온 손님이 있는데 미리내 씨한테 받고 싶다네. 마침 타임도 비던데, 괜찮아?"

"괜찮아요. 제가 받을게요."

"7일에 예약 없이 오다니 별일이야. 여하튼 수고해요."

똑똑.

다시금 노크가 울리고, 셔츠가 바스락거리는 소리가 들렸다. 낯설고도 익숙한 소리에 겨우 안정된 맥이 요동치는 게 느껴졌다.

"들어오세요."

목에 맺힌 응어리에 걸려 탁한 목소리가 나갔다.

조심스럽게 열린 문틈으로 질퍽한 진흙이 묻은 검은 구두와 바닥에 끌릴 정도로 크고 긴 바지가 보였다. 턱과 입술이 덜덜 떨렸다. 시선을 올리니 햇볕을 보지 않아 창백하도록 흰 피부와 손의 굴곡에 따라 튀어나온 푸른 핏줄이 보였다. 내담자가 좀처럼 얼굴을 보여 주지 앉자 어깨 근육이 딱딱하게 굳고 호흡이 빨라졌다. 참지 못하고 직접 문을 열기 위해 의자에서 벌떡 일어났을 때에야 내담자가 문 안쪽으로 들어왔다.

그는 엉망진창이 된 털실 뭉치를 손에 쥔 채로 천천히, 천천히 다가왔다. 쌍꺼풀이 깊고 얼굴에 점이 많은 그는 책상을 사이에 두고 한참을 나와 눈을 마주하다가 건너편 의자에 살포시 앉았다. 나는 제자리에 우두커니 서서 그가 하는 행동을 눈에 담았다. 발을 땅에 딛고 있는 행위가 생경하게 느껴졌다. 꼭 갓 태어난 아기 사슴처럼 다리와 무릎이 후들거려 몸이 자꾸만 휘청거렸다. 결국 의자에 풀썩 앉아서 그와 같은 높이에서 시선을 맞췄다.

"……그건 어디서 가져왔어요?"

"상담소 입구에 떨어져 있길래 주웠는데. ……주인을 알면 돌려줄래요?"

그의 목소리가 두개골을 웅웅 울리듯 들려왔을 땐 가슴까지 울렁거려서 정신을 차릴 수가 없었다.

그가 내 오른손에 빗물이 고인 곳에 버려졌는지 검은 얼룩들로 더러워진 털실 뭉치를 쥐여 줬다. 그것의 감촉은 꼭 부드러운 살덩어리 같아서, 나도 모르게 주물럭댔다. 내담자들이 내 앞에서 옷 끝 따위를 계속 구깃구깃하게 접고 있던 게 안정을 찾기 위해서란 걸 그제야 이해했다. 실뭉치를 주무를수록 엄지의 선명한 점 주변으로 얼룩이 졌다.

그는 고개를 숙인 채 커다란 셔츠 자락을 팔꿈치까지 접어 올렸다. 그의 팔과 손에도 검은 얼룩들이 묻어 있었다. 그가 엉망이 되어 버린 짧은 머리를 쓸어 올리자 빗물이 바닥에 후두둑 떨어졌다. 상담실에 빗물 냄새와 함께 퀴퀴한 기름 냄새가 풍겼다.

그의 체 향을 맡자마자 무언가 내 볼을 타고 뚝뚝 떨어졌다. 눈물인지 빗물인지 모를 것이 손 위를 적셨다. 나는 물을 머금은 털실 뭉치를 두 손에 세게 쥐고 앞을 보려 애썼다. 울렁거리는 초점을 맞추려 애썼다.

"울지 말아요. 울지 마요 리내 씨."

정누림밖에 부르지 않는 이상한 내 이름. 이 사람은 여전하다. 여전히 숙맥이고, 괴짜고, 순진하다. 틀림없이 내가 알던 정누림이다.

나는 분명 화가 나 있었다. 알량한 6일의 로맨스 때문에 완벽했던 일상에 균열이 생긴 것에 화가 났다. 여름비에 쫄딱 젖어 가장 볼품없는 모습으로 이 사람과 마주하는 상황이. 아니, 그에게서 나는 구두약 냄새를 맡고는 그간의 6일이 한여름 밤의 꿈이 되지 않았다는 걸 실감하고 안심하는 내가, 그게 너무 우스워서. 너무나도 우스워서 화가 났다. 그런데도 웃음이 나왔다. 사람이

미친 건지 고장 난 건지 알 수가 없었다.

그가 바지 주머니에서 구깃구깃한 종이 하나를 꺼내 펼치더니 내게 내밀었다. 군데군데 빗물이 묻어 너절한 종이엔 자고 있는 알몸의 여자가 거칠면서도 유려한 선으로 그려져 있었다.

그제야 그의 표정을 보았다. 그는 울듯이 웃는 얼굴로 말했다.

“이 그림만 보면 마음이 두근거려요. 이건 분명 제가 그린 그림이에요. 사라지지 않았어요.”

우린 누가 내담자이고 상담사인지 분간이 가지 않도록 눈물을 흘려 댔다. 내게 울지 말라던 그는 나보다 더 괴로운 얼굴로 자리에서 박차고 일어나 우리를 가로막고 있던 책상을 훌쩍 건너왔다.

“내가 리내 씨를 망친 것 같다는 생각이 들어요. 그래도 나는 1년 전으로 돌아가도 리내 씨를 그렸을 거예요. 미안해요.”

그는 내 두개골을 가슴에 껴안고 반복해서 중얼거렸다. 미안해요. 좋아해요.

한여름 낮의 셔터 플래시

"야, 그래서 수빈인 왜 술 안 마신대?"

"아 걔. 술 잘 못 마시는데 자기가 자제를 못 한대."

"에헤이, 술은 술로 눌러야지."

"우리도 스물하나잖아. 자제해야지."

여자애들이 조잘거리는 소리가 출력기의 요란한 소리와 함께 작은 공간을 채웠다. 집에 출력기 하나 없어서 한여름에 집 밖을 나서야 한다니. 돈 없는 프리랜서는 서럽다. 집 근처에 대학교가 있어서 망정이지, 계약서 몇 장 출력하러 먼 여정을 떠나야 했을지도 모른다. 아무렇게나 눌러쓰고 나온 모자 안에 열기가 가득했다. 스물과 스물하나 사이에 선을 그으며 으스대는 애들 옆에서 계약서를 출력하고 있다는 것에 우쭐대는 스물아홉. 세 번째 아홉수의 한여름을 지나고 있었다.

✦

“이거 맛 간 것 같아.”

작업실에 함께 있던 남자 친구 준환에게 10년 된 폴라로이드 카메라를 들이대며 말했다. 작업실이라고 해봐야 그와 함께 동거하고 있는 집에 붙어 있는 작은 방이었지만. 파자마 차림으로 3초면 출근할 수 있는 그 방은 일러스트레이터인 그와 소설가인 내가 소중히 꾸려온 작업실이었다. 작업은 장비빨이라는 신조로 온갖 최신 기기들로 가득 채웠지만, 한쪽 벽만은 아날로그 감성의 폴라로이드 사진들로 빼곡했다. 시간별로 나열되어 있는 사진 중 첫 번째를 차지하고 있는 건 열아홉의 나와 준환이었다. 올해 열 살이 된 이 카메라는 교복을 입은 준환이 새빨개진 얼굴로 “좋아해.”라는 말과 함께 내게 건네었던 생일 선물이었다.

그가 덥수룩해진 검은 머리칼을 입으로 푸푸 불어 대며 말했다.

“그러게. 배터리 문제도 아닌 것 같고. 뭐, 맛 갈 때도 됐지. 10년은 썼으니 쓸 만큼 썼네.”

“그래도…… 아쉽네. 언제나 함께했던 카메란데. 중고

로라도 다시 살까?"

"굳이?"

"자주는 못 찍어도 기념일 때마다 한 장씩은 찍었잖아. 핸드폰 카메라는 뭔가 정이 없단 말이야."

"그건 그래."

우리 사이의 물건은 항상 중고였다. 일과 관련된 디지털 기기가 아닌 이상 누군가의 손때가 묻은 것들뿐이었다. 이 집에서 마지막으로 남은 온전한 내 것이 10년간의 수명을 다했다. 난 괜스레 시큰해져서 색 바랜 아이보리빛 폴라로이드 카메라를 쓰다듬었다. 수고했다. 수고했어.

"그러고 보니까 우리 곧 10주년인데. 얼른 사야겠네."

"아…… 까먹고 있었다. 그럼 오랜만에 고기나 꾸우러 갈까?"

"좋지."

준환이 콧노래를 부르며 건너편 책상으로 돌아갔다. 염색한 지 오래된 준환의 뒤통수엔 흰머리가 군데군데 튀어나와 팔랑거렸다. 어쩜, 동갑인 스물아홉인데 그의 새치는 뽑는 걸로 해결이 안 될 정도로 수가 늘었다. 이젠 뽑을 게 아니라 머리털을 보존하는 데 신경 써야 할 것 같달까. 나는 카메라보다도 염색약부터 사야겠다고 생각했다.

프리랜서인 그와 프리랜서인 내가 연애하면서 주변인들은 둘 중 하나는 직장을 다녀야 한다는 말을 귀에 딱지가 앉도록 했는데, 과연 틀린 말은 아니었다. 우린 궁상맞았다. 아이도, 반려동물도 없이 각자 몸만 간수하면 되는 성인 둘이었지만 소고기 한 번 사 먹는 데도 벌벌 떨었다. 기념일 날에도 집 근처 단골 냉동 삼겹살집에 가서 소주 한 병 시켜 놓고 나눠 먹을 게 뻔했다. 요즘 소주 한 병이 국밥 한 그릇 가격이라며 매일 하던 푸념을 늘어놓겠지. 난 성인이 돼서 연애하면 다 슈트 입고 스테이크 썰러 가는 줄 알았다.

우린 서로의 첫 꿈을 응원하던 열아홉에 만나, 함께 꿈을 이뤘다. 같은 대학에 붙어서 각자가 원하던 공부를 하며 무난히 첫 돈을 벌었다. 꿈은 언제나 이루고 나면 평범하다. 첫 장래 희망도, 첫사랑도.

✦

쿨거래 하겠습니다. 만 원 깎아서 7만 원에 팔아 주세요.

알겠습니다. 그럼 대학교 정문 앞에서 봬요.

중고 마켓에 싸게 올라온 폴라로이드 카메라 가격을 후려치는 데 성공했다. 쿨하지 못한 요구를 쿨하게 들어

주는 판매자 덕분에 기분이 좋아져서 작업실에 쌓여 있던 젤리 봉지를 한 움큼 집어 호주머니에 쑤셔 넣었다.

폭폭 찌는 밤이었다. 약속 시간보다 10분 일찍 나와서 판매자를 기다렸다. 대학가 정문 앞은 술을 마시러 가는 젊고 싱싱한 간들로 가득했다. 다들 한껏 화장을 하고, 무스로 머리를 올리고, 벨트로 헐렁한 옷에 위트를 더했다. 대충 손에 잡히는 캡 모자 하나를 떡 진 머리 위로 푹 눌러쓰고 나온 게 새삼 머쓱하게 느껴지는 대학가의 열기였다. 다들 이런 더위에 어떻게 저리들 꾸미는지. 나도 저랬던가?

커다란 대학 로고 모양의 조형물 위에 더위로 늘어져 있는 고양이도 구경하고, 신발 끝을 괜히 퉁퉁 두들기고 있던 때, 앞에 커다란 그림자가 드리웠다. 번쩍 고개를 들어 바라본 남자는 키가 무지하게 컸다. 어찌나 큰지 뒤통수가 등에 닿을 때까지 목을 젖혀야 얼굴을 볼 수 있을 정도였다. 서둘러 집에 갈 생각만 하던 나는 그의 얼굴을 보고는 시간이 멈춘 줄만 알았다. 아이돌? 아냐, 그런 결이 아니었다. 배우?

그냥 잘생긴 게 아니었다. 아무에게도 말한 적 없는 내 사적인 취향을 조각 장인이 완벽하고 세밀하게 빚어낸 것만 같은 사람이었다. 날카롭지만 큰 눈에 오뚝한

코, 금욕적인 입술, 그렇지만 선한 인상. 그리고 현실에선 어울리는 사람이 없을 거라고 장담했던 검은색 장발인 안경남. 연예인도 어울리기 쉽지 않다는 장발이 찰떡같이 어울리는 남자였다. 심지어 이 덥고 푹푹 찌는 날에 덥지도 않은지 묶지 않은 긴 머리가 찰랑거렸다. 더군다나 이 남자는 화장도 안 했는데 돋보기로 들여다보아도 모공 하나 보이지 않을 것만 같이 피부가 매끈했다. 왜 이렇게 자세히 아느냐 하면 그만큼 뚫어져라 봤다고밖에는 말 못 하겠다.

남자는 서둘러 왔는지 드넓은 흉부를 오르락내리락하며 내게 물었다.

"저…… 햇당근 님?"

"아, 네!"

성인 남성에게 불린 유치한 닉네임에 정신이 번쩍 들었다. 허겁지겁 바지 주머니에서 돈 봉투를 꺼내는데 곰 젤리 봉투가 후드득 바닥으로 떨어졌다.

"아아아……! 죄송해요."

"아니에요. 저도 주워 드릴게요."

아깐 제대로 듣지 못했는데 목소리까지 좋다. 동굴에 들어가기 직전인 부담스럽지 않은 부드러운 저음이 완벽했다. 떨어진 곰 젤리들을 줍다가 그와 슬쩍슬쩍 손이 스쳤는데 난 내 손에 심장이 달린 줄 알았다. 첫눈에 반했다든가, 그런 건 아니었지만 눈앞에 있는 비현실적인 이상형의 결집체 때문에 몸이 로봇처럼 뚝딱이는 건 어쩔 수가 없는 일이었다. 그의 얼굴을 계속 힐끗거리며 훔쳐보는 것 또한 내 의지에서 벗어난 일이었다. 얼굴의 일부가 긴 머리칼에 가려져 있는 게 안타까울 정도였다.

"다 주운 것 같네요."

그가 싱긋 웃어 보이며 두 손으로 곰 젤리 봉지를 내밀었다.

"아, 감사해요. 근데 그거 어차피 판매자분 드리려고 가져온 거예요."

"아! 그렇군요. 감사히 잘 먹을게요. 그런데 그 카메라 말인데요. 갑작스럽게 사정이 생겨서 가지고 나오지 못했거든요……. 혹시 필름 카메라는 관심 없으신가요?"

"……네?"

"여기까지 시간 내서 나오셨는데 정말 죄송해요. 젤리까지 준비해 주셨는데……. 나올 때 아무리 찾아도 카메라가 안 보이길래 설마설마했는데, 타지에 사는 여동생이 말도 없이 가져갔지 뭐예요. 일단 급하게 잘 안 쓰던 필름 카메라라도 들고 나왔거든요……."

그가 주저하며 투박하게 생긴 검은색 카메라를 가방에서 꺼내더니 내게 내밀었다.

"필름 카메라가 값이 더 나가긴 할 거예요. 아! 절대 생색내려는 건 아니고요……. 폴라로이드처럼 아날로그한 감성 좋아하시는 분이라면 필름 카메라도 충분히 좋아하실 것 같아서요."

"아…… 빈티지한 사진을 좋아하는 건 맞지만 갑작스럽네요. 무엇보다 필름 카메라는 어렵지 않나요? 전 필름 카메라는 써 본 적이 없어서요."

"그럼 제가 좀 알려 드릴까요?"

"네?"

"죄송하기도 하고, 사진 좋아하는 친구가 있었으면 싶기도 했거든요. 또래이신 것 같아서."

"……몇 살이신데요?"

"스물다섯이요. 여기 연극영화과 4학년이에요."

또래라고 하면 또래긴 했다. 스물한 살 때처럼 한두 살 차이로 으스댈 생각도 없었다. 하지만 대학을 다니고 있다는 그와 대학을 졸업하고 4~5년은 된 나 사이의 간격은 건널 수 없는 크레바스처럼 느껴졌다. 애당초 즉흥적으로 친구를 사귀는 일도 언제가 마지막이었는지 모르겠다. 대학을 다닐 때였던가. 더군다나 연극영화과라니. 하긴, 그의 외모로 영화 주인공이라도 맡지 않는다면 범죄나 다름없는 일이긴 하다. 요즘 애들은 중고 거래하면서 친구를 사귄다더니, 진짜구나.

내가 쓸데없는 상념에 잠겨 별다른 말이 없자 그가

눈썹 사이의 비단결 같은 피부를 구기더니 한껏 미안한 목소리로 말했다.

"다시 한 번 정말 죄송해요. 혹시 이 카메라를 사신다면 제가 정말 성심성의껏 알려 드릴게요. 물론 알려 드릴 때 제가 커피도 사고요."

"……그래요. 이참에 배워 보는 것도 나쁘지 않을 것 같네요. 카메라는 잘 작동하는 거죠?"

"네! 물론이에요. 정말 감사합니다!"

그가 카메라를 조심스레 내게 건넸다. 폴라로이드 카메라보다 훨씬 묵직했다. 내가 이리저리 카메라를 구경하는 동안 그는 가방에서 펜을 꺼내 들어 젤리 봉투에 끄적끄적 숫자를 적었다.

"제 핸드폰 번호예요. 시간 되실 때 연락 주시면 사용법 알려 드릴게요."

그는 내가 준비했던 돈 봉투를 예의 바르게 받아 들곤, 돌아가는 내가 보이지 않을 때까지 그 자리에서 손을 붕붕 흔들었다. 덕분에 나도 계속해서 뒤를 돌아보면서 연신 손을 흔들어야만 했다. 나는 꺾어지는 골목에 들어서서야 푹 숨을 내쉬었다. 정말 별일이 다 있었다. 이상형의 미남이 세상에 존재하는 걸 알게 되고, 사려던 폴라로이드는 못 사고, 뜬금없이 필름 카메라를 사 오다니.

주머니에서 바스락거리던 곰 젤리 봉투를 다시 꺼내 들었다. 구깃구깃한 봉투를 펴서 핸드폰에 번호를 저장하다가 이름 칸에서 멈칫 멈추었다. 그러고 보니까 그의 이름도 몰랐다. 나는 하는 수 없이 그의 닉네임으로 이름 칸을 채웠다.

'당근 미남'

그는 내게 딱 그 정도 사람이었다.

✦

준환은 내 이야길 듣곤 퍽 재밌어 했다. 내가 봤던 남자 중 가장 잘생겼다며 호들갑을 떨자 자기도 만나 보고 싶다며 궁금해하기도 했다. 당근 미남에게 카메라 과외를 받기 위해 연락을 주고받을 때도 준환은 내게 오랜만에 새로운 친구가 생겼다며 기뻐했다. 준환은 항상 나에게 친구들이 많이 생겼으면 좋겠다고 말하곤 했다. 내가 발이 넓은 준환을 자주 부러워했기 때문이었다. 하지만 적극적으로 친구를 사귀기 위해 행동한 적은 없었다. 어쩌다 모임에 참가해도 일회성 만남일 뿐이었다.

새로운 사람을 사귀는 일은 나이를 먹으면 먹을수록 어려워졌다. 일적인 만남 외에 친해질 건덕지도 없는 데다가, 막역한 사이가 되기까지의 시간과 노력이 막막하게 느껴졌다. 스물아홉인 지금 연락하고 지내는 건 고등학생 때부터 친한 10년 지기이거나, 대학생 때 부어라 마셔라 하며 술기운에 친해진 사람들뿐이었다. 이러나저러나 다 몇 년은 서로의 생일 선물을 꼬박꼬박 챙겨 가며 유대를 이어 온 인연들이었다. 매년 빨리도 돌아오는 어버이날 선물에 진땀을 흘리고, 남자 친구와 기념일날 삼겹살 파티를 하는 게 고작인 헐렁한 지갑 사정인데, 새로운 친구 사이를 유지하기 위해 돈과 시간을 쓰기 싫었다.

그런데 당근 미남은 적극적으로 내게 부딪히더니 참으로 서글한 태도로 연락을 이어 나갔다. 토요일에 만나자는 약속을 잡고도 친한 친구에게 연락하듯 사소한 것들을 내게 알리는 톡을 보냈다. 그렇다고 부담스럽지는 않게, 선을 지키는 다정함을 탑재한 자음과 모음의 조합에 소설가인 내가 벽을 허물게 되는 건 너무나 쉬운 일이었다. 그의 언어는 적극적이면서 다정해서, 그야말로 외모와 같이 이상적이었다. 난 어느덧 다가온 약속 시간에 그의 프로필 사진을 보며 설레고 있었다.

✦

참 잘생겼네. 잘생겼어.

프랜차이즈 카페에서 만난 그는 오늘도 잘생겼다. 그도 사람이긴 한지 35도에 육박하는 한여름 낮볕에 못 이겨 머리를 비녀 같은 걸로 틀어 올리고 왔는데, 덕분에 얼굴이 더 잘 보였다. 그는 머리카락에 가려져 있던 턱선의 각조차 감탄이 절로 나오게 잘생겼다. 각이 잘생길 수도 있는 거구나 싶었다.

"뭐 마실래요?"

"차가운 밀크티요."

그는 메뉴를 말하는 나를 빤히 보고는 불쑥 가까이 다가와 내게 물었다.

"그거 맛있어요?"

"밀크티 말이에요?"

"네. 맨날 메뉴판에서 보기만 했지 시키는 사람 처음 봐요."

"그래요? 은근 많이 시켜 먹는데. 나는 좋아해요. 베이스가 되는 홍차 종류에 따라 입안을 채우는 향도 달라서 재밌고, 우유가 들어가서 고소하거든요."

"햇당근 님이 좋아하시는 거 보니까 무슨 맛일지 궁금하네요. 나도 한번 그거 시켜 봐야겠다."

준환도 카페에 오면 밀크티만 시키는데.

당근 미남이 나를 따라 밀크티를 시키는 모습을 보니 어린 날의 준환이 생각났다. 준환도 한결같이 밀크티를 시키는 나를 보고는 무슨 맛일지 궁금하다며 도전했었다. 처음엔 향기로운 샴푸를 마시는 것 같다며 요상 망측한 표정을 지었었는데, 그 맛에 중독돼서 그 또한 밀크티 중독자가 된 지도 10년이었다. 나는 밀크티 전도사가 된 것처럼 뿌듯한 표정으로 당근 미남이 밀크티 두 잔을 시키는 모습을 바라봤다.

"조리개로 빛을 수동으로 조절하는 거예요. 조리개를 많이 열면 빛이 많이 들어오고, 닫으면 적게 들어오는 거죠."

그는 생각했던 것보다 훨씬 성실하게 필름 카메라에 대해 알려 줬다. 인터넷으로 대충 찾아봤을 땐 너무 복잡하고 어려워서 괜히 산다고 했나 후회도 했는데, 생각보다 재밌었다. 반쯤은 사적인 잡담이 섞이기도 했지만 그마저도 즐거웠다.

그는 외모에서 벽이 느껴진다는 것만 제외하면 누구보다 말이 잘 통했다. 어색한 정적이 흐를 새도, 말의 흐름이 끊기는 법도 없었다. 그는 정말 좋은 친구가 될 수 있을 것 같았다.

"그러고 보니까, 우리 서로 진짜 이름도 모르네요. 저보다 누나 맞죠? 말 편하게 놓으세요. 전 서, 준이에요. 외자 이름."

"난 정은, 최정은이야."

"정은 누나! 이름 예쁘네요."

그는 이름마저 소설 속 주인공 같았다. 비현실적인 이 남자가 귀여운 동생이 되기까지는 만나서 한 시간이 채 걸리지 않았다. 어느새 누나 동생 사이가 된 우리는 카메라보다 서로에 대해 물었다. 처음은 이름, 그다음은 직업, 그리고 근황과 고민까지.

"덕분에 새로운 걸 배우게 되네. 요샌 뭐 하나 배우려고 하면 돈이 드니까 도전을 하기가 쉽지 않았거든."

"저랑 친구 하길 잘했죠?"

"하하, 그래. 잘했네."

능청스럽게 으쓱대던 그는 막상 내가 동조하자 부끄러운 듯 얼굴을 붉혔다. 덩치 큰 남자한테 어울리지 않는 순수한 반응에 나마저 부끄러워져서 괜히 말을 덧붙였다.

"사실 처음엔 수상한 사람인가 싶었거든."

"네? 수상한 사람이요?"

"그렇잖아. 먼저 가격 깎겠다고 진상 부린 내가 할 말은 아니지만, 사기로 한 물건은 안 들고 오고 다른 걸 팔려고 했잖아. 심지어 연락처까지 주고.”

“그런가요.”

“처음엔 진상인가 싶었다가, 나중에는 잘생긴 사람을 앞세운 사이비 전도사인가도 생각했어.”

“네? 그건 너무한데.”

“그만큼 첫 만남이 신선했다는 거지. 그런데 잘생겼다는 말에는 부정하지 않네? 하긴, 닉네임도 당근 미남인데, 당연한가.”

“아…… 그거 여동생이 제 핸드폰으로 장난친 거예요. 나이 차이가 좀 많이 나서 그런지 장난도 심하고 어리광도 심해서요.”

“그래도 그 여동생 덕에 새 친구도 사귀었네. 20대 후반 되니까 새 친구 사귀는 게 여간 어려운 일이 아니었거든.”

“하긴, 새 친구 사귀기는 항상 어렵죠. 전 어렸을 때 저만 친구들이랑 다른 반이 돼서 엉엉 운 적도 있어요.”

“하하, 거짓말. 전혀 안 그럴 것 같은데. 그 외모면 가만히 있어도 친구 한 트럭은 생기지 않아?”

“그만 놀려요.”

그는 토마토가 된 얼굴에 연신 손부채질을 하며 밀크티를 입에 한껏 머금었다.

“누나 덕분에 저도 새로운 거 하나 배웠네요. 밀크티.

맛있어요."

"그치? 고등학생 때 호기심에 먹어 보고 반했다니까. 그땐 이거저거 많이 도전해 보고 실패하는 것도 안 무섭고 그랬는데. 요즘은 새로운 거에 뛰어들고 배우는 것도 다 돈이 드니까, 주저하게만 되더라고. 그래서 오늘 너무 고마웠어. 오랜만에 재밌게 배울 수 있어서."

"그럼 나한테 또 배워 보고 싶은 건 없어요? 새로운 거."

"또?"

"서로 품앗이하듯이 배우는 거죠. 뭐 꼭 주고받지 않아도, 친구끼리 잘하는 거 알려 줄 수 있는 거잖아요."

"그렇지만 난 알려 줄 수 있는 게 딱히 없는데."

"괜찮아요. 내가 알고 있는 걸 다른 사람한테 알려 주는 것도 새로운 배움이라면 배움이잖아요. 복습도 되고."

사실 억지스러운 논리였지만 그가 배우고 싶은 게 있냐고 물었을 때 번뜩 떠오른 게 있었다.

"글쎄…… 연기?"

"아…… 누나 연기에 관심 있어요?"

"본격적으로 무슨 연기자가 되고 싶다는 건 아니고. 경험해 보고 싶다는 생각은 늘 있었어. 소설가로서 내가 만든 인물에 이입해야 하는데, 잘 안 될 때가 많거든."

"음…… 그렇구나."

무엇이든 적극적일 것만 같았던 준이 처음으로 머뭇거리는 모습을 보였다. 무덥던 날에도 뽀송하기만 했던 그의 머리 자락이 땀에 젖어 있었다. 시종일관 내 눈을 바라보며 말하던 그의 눈이 창문 밖을 향했다가 이내 테이블 아래로 떨궈졌다. 마치 산책이란 말에 신나서 붕붕 꼬리를 흔들다가 폭우가 내리는 바깥을 보곤 침울해진 리트리버 같았다.

"아니, 그냥 가볍게 말해 본 거야. 너무 신경 안 써도 돼."

준은 손사래를 치는 나를 힐끗 바라보더니 한껏 기가 죽은 목소리로 말했다.

"사실, 저 연기에 재능 없어요. 얼굴만 보고 뽑혀 갔다가 처참하다고 까인 게 한두 번이 아니에요. 분명 처음에는 꿈같았는데, 저는 이곳에서 그냥 보기 좋은 돌멩이더라고요. 외모가 아니라 연기로 빛나고 싶었는데. 사실 이런 자격지심 때문에 친구도 잘 안 사귀었어요. 근데 누나를 만나서 별것 아닌 것들을 대수로운 것처럼 선생님이 되어서 알려 주다 보니까 너무 신났나 봐요."

"아냐, 진짜 잘 알려 주던데. 인터넷으로 봤을 때는 하나도 이해 안 되던 걸 단번에 알 수 있을 정도로. 그리고 카메라 잘 다루는 것도 하나의 능력이지, 왜 별게 아니야."

"하하……. 그렇게 말해 줘서 고마워요, 누나. 그리고 미안해요. 배우고 싶다고 했는데, 잘 알려 줄 자신이 없어요."

당당하던 어깨가 축 내려앉은 모습이 안타깝게 느껴졌다. 나 또한 준의 나이일 무렵, 재능에 대한 고민에 빠져 있었기에 남 일 같지 않았다. 글이 좋고, 글에 재능 좀 있다는 사람이 모이는 문예창작학과에 들어가서 배운 거라곤, 문학에 대한 사랑? 기깔 나는 문장을 쓰는 법? 그딴 것들이 아니었다. 다른 이의 글을 끌어내리고, 비난하는 법. 단어 하나라도 트집 잡아서 발표해야 점수가 올랐고, 있지도 않은 함의를 그럴듯하게 지어내야 점수를 보전할 수 있었다. 그렇게 자리를 지키고 있다고 생각했는데, 사실은 추락하고 있었던 거였다. 가장 자신 있게 말하던 나의 재능은, 가장 자신 없는 쓰레기가 되었다. 한결같은 준환의 응원 덕분에 어떻게든 자신감을 되찾아 소설가로서 돈을 벌고 있지만, 여전히 나라는 존재는 줄곧 필명 아래에 숨기곤 했다.

하지만 이러나저러나 나는 글로 빌어먹고 있다. 모두 내 소설 한정 최고의 비평가이자 첫 번째 팬인 준환 덕분이었다. 준도 지금은 잔뜩 주눅 들어 있지만 그의 얼굴에선 연기에 대한 끊을 수 없는 열망과 애정이 엿보였다. 도와주고 싶었다. 준환이 내게 그랬듯이.

“좋은 생각이 있는데.”

“네?”

“내가 지금 쓰고 있는 소설을 우리가 함께 연기해 보면 어때? 좀 오글거릴 것 같긴 한데, 재밌을 것 같지 않아? 넌 연기 연습도 할 수 있고, 난 내 소설에 몰입해서 집필할 수 있고.”

준은 자리에서 벌떡 일어나더니 잘생긴 눈을 반짝거리며 소리쳤다.

“와. 너무 좋은 것 같아요!”

“그치?”

그는 다시 자리에 앉아 곧바로 연습할 만한 스튜디오 대관을 알아봤다. 대관비를 걱정하는 내게 아는 형이 하는 곳이 있어서 싸게 이용할 수 있다며 다시금 가슴을 활짝 펴며 말했다. 그의 얼굴에 다시 웃음이 피어나자 나마저 뿌듯했다. 준은 설레는 얼굴로 내게 물었다.

“우리 언제 다시 만날까요?”

✦

“필름 카메라는, 폴라로이드보다 더 매력적이야. 셔터를 누르기까지의 결정과 용기가 쌓여서 필름이 모두

소진되면 그제야 결과를 알 수 있거든. 내가 실수를 했는지, 엄청난 재능을 선보였는지는 나중에야 알 수 있는 거야. 그리고 오롯이 그것들이 모여 내 품에 안겨지지. 그리고 결과가 어떻든 간에 받아들여야 하는 거야."

"으응, 그렇구나."

준환이 소파에서 내 무릎을 베고 누워 설렁설렁 맞장구를 쳤다. 방금 머리를 감고 선풍기만 쐰 촉촉한 그의 머리칼이 내 허벅지를 간지럽혔다. 난 염색이 골고루 제대로 됐는지 그의 머리를 헤집으며 말했다.

"그래도 폴라로이드 카메라는 하나 새로 사려고."

"굳이?"

"너랑 추억이 있는데, 아쉽잖아. 더 간편하기도 하고."

"그건 그래."

핸드폰을 보고 있는 그의 얼굴을 내려다보니 불현듯 새삼스럽게 느껴졌다. 같은 공간에 살면서 매일 보던 얼굴인데 그의 개성 있는 이목구비가 눈에 띄었다. 최근 빛나는 황금 비율의 얼굴을 감상했다 보니, 역시 이게 인간적인 거지, 싶었다. 중구난방으로 삐죽삐죽 난 눈썹, 짙게 쌍꺼풀 진 눈에 동글동글한 코, 귀여운 입술, 살짝 오돌토돌한 피부. 쭈욱 늘어나는 그의 볼살을 자주 주물럭거리긴 했지만 눈 코 입의 모양을 샅샅이 보는 건 오랜만이었다. 아니, 처음일지도 모른다. 그는 언제나 내게

'준환'일 뿐이었다.

준환이 눈을 위로 치켜뜨며 내게 물었다.

"아, 우리 10주년에 고기 먹기로 한 거 어디로 갈까?"

"맨날 가던 냉삼집 아니었어?"

"역시 거기려나."

"우린 언제 오마카세 같은 거 먹으러 가 보려나."

"그러게. 나중에 꼭 먹으러 가자."

"응. 나중에 가자."

그가 고개를 들어 입을 맞췄다. 익숙한 각도로, 익숙한 패턴으로 고개를 돌리고 입을 열었다. 오랜만의 키스였다.

✦

"누나, 글 다 읽어 봤는데 너무 좋던데요? 진짜 작가였구나."

"진짜 작가지, 그럼."

준은 연신 내 글을 찬양하며 작은 원룸 같은 스튜디오의 불을 켰다. 지인에게 싸게 빌린 곳이라지만 생각보다 훨씬 좁았다. 꼭 어릴 적 다니던 동네 피아노 학원의 개인 연습실 같았다. 우린 방에 비치되어 있는 의자 두 개를 가운데로 가져다가 마주 보며 앉았다. 방음 시설만큼은 빵빵한지, 완벽히 고요한 공간에서 단둘이 서로를 바라보고 있으려니 괜스레 준이 어색하게 느껴졌다.

"으음…… 뭐 어떻게 하면 돼?"

"일단, 리딩부터 해 볼까요? 누나가 쓴 건 시나리오가 아니라 소설이니까, 간단하게 집중했으면 하는 부분을 알려 주면 좋을 것 같아요."

"그래. 일단 오기 전에 읽어 봐서 알겠지만, 두 남자 사이에서 갈등하는 여자의 이야긴데……."

나는 준에게 소설의 전반적인 내용과 흐름, 그리고 인물들의 감정선에 대해 설명했다. 마땅한 책상 없이 의자에 앉아서 출력해 온 글을 함께 보던 우리는 처음엔 무릎, 다음은 팔, 허벅다리, 손까지 내려와 맞대어 있었다. 고개를 들어 준의 눈을 바라보면 준도 나를 따라 내 눈을 바라봤다. 서로의 목 울림과 숨소리마저 낱낱이 귀에 울리는 그곳에서 우린 작은 방의 산소를 나누어 마셨다. 마주 보고 있던 의자는 하나의 벤치처럼 붙어 버린 지 오래였다. 빵빵하게 틀어 놓은 에어컨 바람에 준의 긴 머리칼이 살랑거리며 내 팔을 간지럽혔다.

"와, 진짜 글만으로도 몰입감이 장난 아니에요. 그냥 하는 소리가 아니라 대단해요, 누나 글."

"너무 비행기 태우지 마."

"진짠데."

서늘함마저 느껴지는 방 안 공기에도 내 얼굴은 불탈 것처럼 뜨거웠다. 맞닿아 있는 그의 뜨거운 살갗 때문인지, 가감 없이 치고 들어오는 칭찬 때문인지 모르겠다. 준과 함께 있을 때면 이름 없는 소설가가 대단한 작가님이 되어 대접받는 기분이었다.

"그럼 가볍게 연기해 볼까요? 제가 준상 역을, 누나가 지인 역을 해 봐요. 여기, 준상이 지인에게 고백하는 클라이맥스 부분."

"응. 좀 긴장되네."

우린 의자에서 일어나 서로를 마주 보고 섰다. 한 손에 내가 쓴 글을 쥐고 심호흡을 했다. 준은 그런 나를 귀엽다는 듯이 바라보다가, 전문가처럼 목을 풀었다. 그러곤 곧바로 표정이 굳더니 연기에 돌입했다.

"지인아. 너한테 남자 있는 거 알아."

나는 떨리는 목소리로 다음 대사를 읊었다.

"알고…… 알고 있었구나."

"응. 전에 네가 화장실 갔을 때 핸드폰에 메시지가 떠서 알았어."

그는 정말 감정을 삭이고 있는 것처럼 보였다. 턱에 힘이 한껏 들어가서 어금니가 맞물리는 소리마저 들렸다. 어색하고 오글거린다고 생각했던 게 창피해질 정도로 준은 소설 속 준상의 진심을 내게 던졌다. 나는 외울

만큼 반복해서 읽었던 내 글을 의자에 살며시 내려놓으며 조곤조곤한 목소리로 말했다.

“그랬구나. 근데 그게 왜?”

“알고 있지 않아? 내심…… 너도 설렜잖아. 기대한 적 없어? 상상한 적도?”

“갑작스럽네. 대답하자면, 아니. 전혀. 우쭐한 적은 있었지. 너랑 카페에 있을 때면 모든 여자들이 날 부럽다는 듯이 바라보거든. 하지만 그 이상을 생각해 본 적은 없어. 너같이 잘난 애가 날 보고 설렌다는 게, 사실일 리가 없잖아.”

“사실이야.”

“착각이야.”

“지인아, 제발.”

준이, 준상이 끼고 있던 안경을 벗고 얼굴을 쓸어내렸다. 다시 안경을 쓰고 이번엔 긴 머리를 거칠게 쓸어 올리곤 제자리를 빙글빙글 돌았다. 지인은 그런 준상을 보고는 원망을 담아 탓하듯 말했다.

“그러면서 왜 모른 척하고 있었어. 난 속일 생각도 없었어. 굳이 말해 줄 필요도 없었지. 그냥 넌 친구였으니까.”

“아니, 넌 알고 있었어. 부정하고 싶었던 거겠지. 변화하는 게 싫으니까. 근데 이미 너무 많은 게 변했어. 돌이

킬 수 없을 정도로. 원래 오늘 이렇게 밀어붙일 생각은 아니었는데, 오늘 널 보니까 안 될 것 같아. 지인아. 널 좋아해. 그건 너한테 남자가 있어도 달라지지 않아."

준상이 지인의 팔목을 건드렸다. 톡, 톡. 검지와 중지로 노크하듯 두근거리는 팔목 안쪽을 두들기곤 슬며시 손바닥 중앙으로 내려왔다. 몰랑거리는 살 사이를 뱀처럼 파고들어 깍지를 꼈을 때, 지인은 물속으로 잠수하는 것처럼 숨을 들이켰다.

연기를 끔찍하게 못한다던 준은 완벽히 준상을 연기해 냈다. 내 머릿속으로 상상만 하던 소설 속 준상이 내게 사랑을 고백했다. 그와 함께 있는 나는 지인이다. 잘생긴 연하의 남자가 커다란 장애물에도 불구하고 적극적으로 얻고자 하는 매력적인 여자다. 그와 연기를 하는 나는 권태로운 현실에서 벗어난다. 내가 빚어낸 허구가 진실이 된다. 상상만 하던 주인공은 내가 된다.

리딩하기로 한 분량이 끝이 났다. 그럼에도 준은 깍지 낀 내 손을 놓아 주지 않았다. 낯선 이와 맞댄 내 손바닥에 땀이 송골송골 맺힌 게 느껴졌다. 반면에 눈앞의 반짝거리는 주인공은 역시 땀을 흘리는 법이 없다.

그가 슬며시 몸을 내게 붙였다. 우리 사이에 있던 손이 서로의 허벅다리에 닿을 정도로. 그러곤 대본에 없는 대사를 말한다.

"나한테 와요, 누나."

✦

난 준에게서 도망치듯 집으로 돌아왔다. 생각할 시간을 달라는 진부한 대사를 내가 읊게 될 줄은 몰랐다. 정신이 하나도 없었다. 오피스텔 보안 키패드가 땀이 마르지 않은 손끝을 인식하질 못해 복도에 연신 삑삑거리는 소리가 울려 퍼졌다. 그러자 집 안에서 발걸음 소리가 나더니 준환이 문을 열며 나를 맞았다.

"빨리 왔네. 많이 더웠어? 옷이 땀에 절었네."

"어……. 더워. 덥네, 많이."

시원한 에어컨 바람이 흘러나오는 그와 나의 집으로 서둘러 들어가려고 하자 발끝에 무언가가 턱, 걸렸다. 큰맘 먹고 새로 산 폴라로이드 카메라였다. 나는 허둥지둥 택배 박스를 집어 들고 문을 닫았다. 준환이 내게 저녁은 먹었는지, 오늘 연기 수업은 어땠는지 물었다. 내가 뭐라고 대답했는지 모르겠다. 바보같이 덥다, 덥다만 반복하면서 화장실로 도망갔던 것 같다.

땀에 전 블라우스는 잘 벗겨지지도 않았다. 옆구리 쪽에서 돌돌 말리더니 박음질된 실이 우둑거리는 소리가 들렸다. 난 괜히 혼자 씩씩대다가 분에 못 이겨 샤워기부터 틀었다. 차디찬 물이 머리부터 발끝까지 흘러 내려갔다. 안 그래도 푹 젖은 블라우스는 몸의 굴곡에 맞춰 찰딱 붙어 버렸다.

열기로 아지랑이마저 날 것 같았던 머리가 점차 식어 갔다. 한순간의 충동으로 비싼 블라우스를 망쳐 버렸다는 걸 깨닫곤 한숨을 푹푹 내쉬었다. 이전보다 더 벗기 힘들어진 블라우스에서 팔을 하나씩 빼면서 뜨거웠던 손의 열기를 떠올렸다.

준이 나를 좋아한다는 걸 자각한 것은 스튜디오에 들어가 완벽히 단둘이 되었을 때였다. 그럼 이건 바람이야, 아니야?

알게 됐다고 갑자기 뛰쳐나올 순 없는 노릇 아니야.

나는 준을 그렇게 좋아하지 않아. 준환과 10년간 사귄 만큼 사랑이 무엇인지 아니까. 헷갈릴 것도 없지. 준에게는 생물학적인 호감뿐이야.

그럼에도 준과는 모든 게 잘 맞았어. 대화거리도 끊이지 않았지. 무엇보다 얼굴만 보고 있어도 배가 부르다는 게 뭔지 알겠더라.

하지만 대화거리가 끊이지 않는 것 또한 아직 얄팍한 관계이기 때문이겠지. 모든 게 잘 맞아 보인다는 건, 그만큼 서로를 모른다는 소리니까. 준환과의 관계는 너무 편해. 과연 준과도 수많은 다툼과 대화를 거듭하고 오래도록 편한 관계까지 도달할 수 있을까? 오래된 연인과의 의리를 저버리고 이별을 고할 정도로?

그런데 내 생애 완벽한 이상형을 다시 만날 수나 있을까? 잘생기고, 다정하고, 새로운 배움을 주는 남자를.

이기적인 자문자답을 이어 가며 내 안의 답을 찾아갔다. 어떤 물음에도 답하기 어려웠지만 단 하나만은 확신할 수 있었다.

어떤 선택을 해도 후회할 거야.

✦

내 생애 두 번째 고백으로부터 사흘이 지난 10주년. 나는 작업실에서, 준환은 안방에서 각자의 시간을 보내고 있었다. 오래간만에 고기를 구우러 가자며 통으로 시간을 비웠음에도 불구하고 우리는 누구도 먼저 10주년에 대해 말을 꺼내지 않았다. 익숙한 고깃집에, 매번 가는 저녁 시간에 나갈 거라고 생각하는 거였을까. 아님, 예감하고 있던 걸까? 우린 그저 각자의 시간을 보내고 있었다.

나는 멍하니 시계만 바라보다가 방을 나왔다. 건너편에서 준환도 방을 나서고 있었다. 그는 며칠 동안 밤샘 작업을 한 것처럼 눈 밑이 검었다. 길고 긴 더벅머리가 눈을 찌르다 못해 덮고 있었다. 분명 저번 주에만 해도 10주년 전에 머리라도 깔끔하게 자르라며 잔소리를 해 댔는데. 그는 고깃집에나 갈 텐데 뭐 하러 예쁘게 하고 가냐며 투덜거렸다. 그러면서도 기념일 전에는 꼭 손톱까지 단정하게 자르던 그였다. 그런데 오늘은 나도, 그도, 저녁 일곱 시가 될 때까지 파자마 차림이었다.

신기한 일이다. 낌새라는 건 실재한다. 아무리 고민해 봤자 타이밍은 닥치면 저절로 알게 된다. 며칠이고 우물대던 내 입은 저절로 서두를 열었다.

"있잖아. 네가 전에 그랬잖아. 내가 만약 널 사랑하지 않게 되면, 망설이지 말고 말해 달라고."

준환은 내 말이 들리지 않는다는 듯 터벅터벅 거실 소파로 걸어가 주저앉았다. 그러곤 손바닥에 얼굴을 파묻고 한동안 말이 없었다. 나는 다가가지도 못한 채 망부석처럼 서 있었다. 몇 분이 지나고, 그가 붉어진 눈으로 나를 바라보며 말했다.

"전에 그 사람, 완전 네 이상형이라며. 로또 맞은 사람을 붙잡을 수는 없지. 내가 안일했어. 사랑에 빠지는 건 한순간인데, 그치? 믿고 안 믿고의 문제가 아니었어. 나도 만난 지 며칠 안 돼서 너한테 고백했었는걸. 천천히 정리해서 방 빼자. 나도 천천히 정리할게. 우리, 정리할 게 너무 많잖아."

"화…… 안 내?"

"……어쩌겠어. 이미 사랑하지 않는다는데. 억지로 함께해 봤자 불행할 뿐이야. 우리 참 오래 사랑했잖아. 그걸 원망으로 덮고 싶진 않네. 내가 바꿀 수 있는 건 이미 없는 거잖아. 이제 널 바꿀 수 있는 건, 그 사람뿐이야."

준환은 좋은 사람이었다. 이별의 말을 꺼내자마자 후회가 막심할 정도로. 그러나 말은 주워 담을 수 없다. 감정은 말 한 마디로 정리되기도 한다. 우리의 10년은 그렇게 막을 내렸다.

그가 먼저 안방으로 들어갔고, 나도 작업실로 들어왔다. 그가 우는 소리가 들렸다. 나도 울었다. 난 울 자격이 없는데도 눈물이 계속 계속 나왔다. 우린 온전히 혼자서 이별을 곱씹을 수도 없었다. 작업실 벽면을 가득 채운 폴라로이드 사진들을 보니 더 울음이 터져 나왔다. 벽 한 면이나 채웠다고 생각했는데, 우린 벽 한 면밖에 채우지 못했다.

우린 디지털 사진도 지울 수 없다. 천 장의 단위가 아닌 만 단위인 사진은 준환과 내 청춘을 고스란히 담고 있었다. 물건도 버릴 수 없다. 버리면 남는 게 없다. 준환과 나 사이에 정리할 수 있는 건 보증금과 커플링 한 짝뿐이었다.

우린 각자의 방에서 서로의 내음이 나는 물건들에 파

묻혀 긴 밤을 지새웠다.

✦

집을 정리하기란 여간 어려운 일이 아니었다. 아침부터 준환과 나는 누가 보아도 밤을 꼴딱 새운 눈으로 집을 정리하는 것에 대해 회의해야만 했다. 매일 수다와 함께 식사를 하던 새하얀 식탁엔 준환이 구운 베이컨 대신 계약서가, 내가 만든 오믈렛 대신 통장이 올라왔다. 연애라는 둘만의 계약은 해지마저 혼자만의 일이 아니었던 거다.

"내가 나갈게. 친구 집에서 한동안 같이 월세 내면서 지내면 돼."

준환이 '네 친구 누구……?'라는 표정으로 날 바라보았지만 얼마 못 가 수긍했다. 그를 내쫓는 꼴이 되고 싶지 않아서 내린 결정이었는데, 이쪽이 더 상처인 듯했다. 이미 나는 나쁜 사람이었지만, 더 나쁜 사람이 된 것만 같았다.

나는 준환의 예상대로 준의 원룸에서 살게 됐다. 새로운 집을 구할 때까지 임시로 동거하게 된 거라지만 연애를 시작하자마자 동거를 하는 건 10년 연애 경력 중 처음이었다. 준은 중고 거래를 했었던 대학가 근처에서 살고 있었다. 다정한 준이 내 커다란 캐리어를 대신 끌며 집으로 안내했다. 그의 등은 누구보다 듬직했고, 자갈밭 위에서 들들들 캐리어를 끄는 팔뚝의 근육은 해부학 책에 나올 것만 같이 선명하고 아름다웠다. 여전히 소란스럽게 계산기를 두들기는 머릿속과 달리 눈과 마음은 풍요롭기 그지없었다.

하나, 원룸의 현관문이 열릴 때부터. 아니, 그의 원룸이 있다는 골목길에 드러설 때부터 내가 쓰던 두근두근 로맨스 소설이 해피 엔딩이 되지 못하리란 것을 예감해야만 했다. 꿈은 현실이 되면 평범해진다. 소설 속 인물과 일상이 내 것이 되었을 때, 채 묘사되지 못했던 구질구질함을 받아들이는 건 오롯이 주인공인 내 몫이었다. 못생긴 마음들이 눈길에 따라 선명하게 묘사됐다.

6평 크기 원룸에 여유 없이 들어차 있는 싱크대와 침대와 책상. 식탁 대신 한쪽 벽면에 세워져 있는 작은 베드 테이블. 취향이라곤 전혀 반영되지 않은 각종 가구들 사이에서 봐 줄 만한 건 빛나는 준의 얼굴과 고전 명화를 보는 것 같은 몸매뿐이었다.

“누나. 얼른.”

준은 현관에 우두커니 서 있는 나를 집 안으로 당기며 현관문을 닫았다. 그러곤 참을성 없이 바로 고개를 숙여 입을 맞췄다. 손가락 사이를 파고들던 손은 뱀처럼 옷 속으로 들어와 내밀한 살갗을 더듬었다. 그 때가 스물아홉 살의 로맨스가 시작되어야 할 타이밍이었다. 적어도 비범하고 용감한 사랑 이야기가 되어야만 했다. 상대가 누군데. 무얼 버렸는데.

그가 눈을 감고 혀의 감각에 집중하며 나를 침대로 이끌 때, 내 눈은 그의 '방'을 훑었다. 몸이 눕혀지고, 그가 티셔츠를 터프하게 벗어 던질 때, 난 침대 밖으로 그의 발이 삐져나온 것을 보고 있었다. 준은 열 살은 족히 넘었을 것 같은 벽걸이 에어컨에게 일을 시킬 생각이 없어 보였다. 그는 여전히 땀을 흘리지 않았다. 나만 살갗 사이사이로 끈적한 땀이 차올라 블라우스가 벗겨지지 않아 민망해했다. 준환은 어땠더라. 그는 집에 들어오자마자 에어컨부터 틀었고, 우스꽝스럽게 돌돌 말린 티셔츠를 내가 벗겨 주기 일쑤였다. 더워서 깔고 자는 대자리 위에서 관계를 하느라, 살이 흉하게 눌려서 서로를 에이리언 같다고 놀리곤 했다. 분명, 그것도 평범했는데.

준은 능숙했다. 서로를 낱낱이 탐색해 왔던 준환과의 10년간의 섹스가 기억이 안 날 정도로. 그럼에도 난 마음껏 그의 단단한 몸을 탐미하긴커녕 벽만 힐끗대며 신음을 참아야만 했다. 나는 얇은 벽 너머와 신음 소리를 공유하며 흥분하는 대학생이 아니었다. 그래, 인정하기 싫지만 스물아홉의 나는 훌륭한 사회의 속물이었다. 다운그레이드된 '나와 그의 집'은 코인 노래방만 한 연기 스튜디오보다도 로맨틱하지 못했다.

헐떡이는 숨이 한여름 낮의 더위 때문인지, 반복적인 행위 때문인지 알 수 없었다. 평범과 평범 사이에서 저울질을 하는 사이 끝나 버린 절정에, 준은 몸을 반으로 접으며 팔을 내밀었다. 나는 자연스럽게 머리를 들어 올렸다. 머리 사이로 들어온 그의 팔은 불편하기 짝이 없는 찜질방 목베개 같았다.

아득하게 느껴졌다. 첫 키스. 첫 섹스. 첫 팔베개. 첫 동거 날. 솔직함을 내비치기엔 우린 너무 얄팍한 관계였다. 벌써부터 내 미래가 그려졌다. 내가 할머니가 되면 손녀에게 말하겠지. 이 할미한테는 두 명의 남자가 있었단다. 근데 지금 할아버지는 둘 다 아니야.

난 노곤하게 잠에 빠져들고 있는 준에게 말했다.

"준상은, 지인과 행복했을까?"

그는 여전히 잘생긴 얼굴로, 드넓은 가슴을 오르내리며 잔잔한 자장가처럼 읊조렸다.

"글쎄. 난 소설 속 주인공이 아니라서 모르겠네."

난 이런 글을 쓸 생각이 없었다.

✦

"집필하던 건 잘돼 가?"

"……응. 결말 부분을 어떻게 해야 하나 고민돼서 질질 끌었는데, 드디어 탈고했어."

준환은 여전히 내 글에 관심이 많았다. 한 달 만에 길에서 만난 내게 글의 진척부터 물었다. 같은 동네에 살고 있으니 언젠가 마주칠 거란 생각은 했지만 우연히 길을 걷다가 눈이 마주친 상황은 뻔한 클리셰같이 느껴져서, 당황스럽기보다 되레 웃음이 새어 나왔다.

"잘했네. 수고했어."

"응. 너도."

뜬금없는 대답에도 준환은 희미하게 웃어 보였다. 오랜만에 보게 된 그는 조금 후련해 보였다.

"행복해?"

그는 자기가 물어 놓고 자기가 당황스러워하더니 덥수룩한 머리를 긁적이며 말했다.

"아니, 이런 말을 하려고 했던 건 아닌데……. 네가 행복했으면 좋겠어."

"……응. 행복해. 나한테 이런 말 할 자격이 있는지 모르겠지만, 너도 행복해."

우린 악수를 나눴다. 손가락 사이를 간지럽히던 장난

하나 없이, 손바닥과 손바닥을 맞대는 악수였다. 우리는 정말 남이어야 하는 남이었다.

항상 둘이 걷던 길을 혼자 걸었다. 천천히, 곱씹으면서. 뙤약볕이 따가운 골목길에서 가방 안에 있던 카메라를 집어 들었다. 아날로그 카메라로는 반짝이는 해가 잘 찍히지 않을 것을 알면서도, 셔터를 눌렀다.

나무를 사랑하는 일

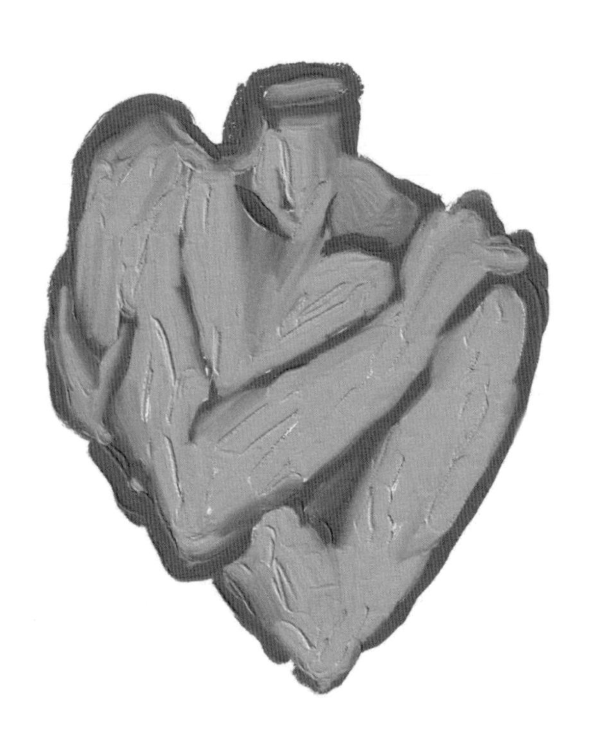

이사하고 처음으로 마을을 둘러보러 나온 날이었다. 어린 날 살았던 시골 마을은 여전히 정돈되지 않은 돌바닥 위로 소와 말이 수레를 끌었다. 벽돌에 흙을 바른 단층 건물들이 듬성듬성하게 거리를 두고, 그 사이엔 로프를 엮어 옷가지와 팬티까지 빼곡하게 널어놓은 것조차 똑같았다. 달라진 점이라고 하면 가게 간판 정도일까? 막대 과자를 사 달라며 어머니의 치마 끝을 붙잡곤 했던 잡화점은 롤랑 어쩌고 화가의 20년 된 단골집이라는 문구와 함께 고급스러운 흑연을 늘어놓고 파는 '전통적인' 화방으로 탈바꿈했다. 그리고 가게 주인의 이마 주름이 두 겹 더 는 정도.

나는 천을 기워 입은 노인들 사이에서 홀로 레이스가

달린 챙 넓은 모자를 쓰고 서 있었다. 마을 풍경을 두고 다른 그림 찾기를 한다면 내가 가장 먼저 동그라미 쳐질 것이 분명했다.

우두커니 길 한가운데에 서 있는데 허리 굽은 노인들의 발걸음이 분주해지고 빨랫줄들이 위아래로 흔들렸다. 하필 나온 날이 장날이라고 비가 내리기 시작했다. 분명 집을 나설 때만 해도 쨍한 햇볕에 눈을 찡그렸는데, 모자를 쓰고 있는 탓에 빗방울이 떨어지는 줄도 몰랐다.

마을에서 집으로 가려면 족히 40분은 걸어야 해서 급한 대로 가까운 처마 밑에서 비를 피했다. 처마가 달린 건물엔 마 끈 따위로 대충 엮어 둔 나무판자가 대롱거리고 있었는데, '식물'이라는 두 글자만 떡하니 쓰여 있었다. 그러고 보니 바깥도, 커다란 창 안쪽도 온통 초록색이긴 했다. 족히 3층 높이는 되어 보이는 '식물'은 꼭 식물들이 사는 아파트 같았는데, 무얼 파는 곳이라기엔 어지러웠고, 그렇다고 부잣집에서 취미로 만든 온실이라기엔 투박했다. 간판을 걸어 둔 것을 보면 분명 장사를 하는 곳인데, 정체를 알 수 없어 계속 안쪽을 들여다보게 되었다.

그때 나무로 된 문에 달려 있던 차임벨이 요란스럽게 울리더니 주인으로 보이는 깡마른 남자가 양손에 양동이를 들고 후다닥 밖으로 나왔다. 나는 허락도 없이 앞에 서 있다고 타박이라도 들으려나 싶었는데, 그는 나에게 관심이 없었다. 단지 건물 안쪽에 있는 커다란 그릇이나 빈 화병 따위를 들고 나와 바닥에 나란히 내려놓기 바빴다. 비를 맞고 있는 바깥의 화분들을 안쪽으로 들여놓지는 않고 되레 온갖 잡다한 것들을 서둘러 내놓고 있으니 희한했다. 구경하듯 빤히 보고 있자니 그제야 날카로운 인상의 남자가 톡 쏘듯이 내게 말을 걸었다.

"뭡니까? 식물 살 거요?"

"아뇨. 비를 피하다가 이곳이 여러모로 신기해서 보고 있었어요."

"처음 보는데, 도시에서 왔소?"

"예. 이사 온 지 얼마 안 됐어요. 그런데 왜 온갖 그릇을 다 내놓고 있는 거예요?"

남자는 빗물이 떨어진 안경을 거칠게 빼서 들고 옷자락으로 렌즈를 닦아 내며 또 뭘 모르는 도시 처자가 로망을 찾는답시고 이 시골에 왔다며 탐탁잖게 구시렁거렸다.

"빗물은 귀합니다. 식물한테는 만병통치약이나 다름없지."

"식물을 정말 사랑하시나 봐요."

"사랑하다마다. 나는 식물학자나 다름없소. 내가 모

르는 희귀 식물은 없다고 봐야지. 망할 촌구석 사람들은 여길 예쁜 꽃 화분이나 파는 상점인 줄 아는데, 엄연히 내 식물 연구소라고. 내가 지금은 돈 때문에 식물의 가치도 모르는 사람들한테 푼돈에 팔고 있지마는……."

그는 입술을 주욱 내밀고 투덜거리면서도 빗물을 머금은 작은 수목의 이파리를 연인의 볼이라도 되는 듯 조심스레 매만졌다. 그의 말마따나 상점 앞에 놓인 크고 작은 화분들은 하나같이 이파리가 반짝거리는 게 사랑받은 티가 났다. 하지만 그래서인지 나란히 세워 둔 화분 뒤편 구석에 거뭇하게 말라붙은 괴상한 수형의 나무 화분이 더욱 눈에 띄었다.

"하지만 식물들을 썩 평등하게 사랑하진 않으시는 것 같은데요."

그것은 줄기가 등나무 덩굴처럼 배배 꼬여 있고 썩은 석류같이 검붉은 잔뿌리가 흙 바깥으로 삐져나와 있었다. 오래도록 관심을 받지 못했는지 버석하게 마른 대여섯 개의 이파리만 겨우 대롱거리고 있었다. 이러나저러나 멀쩡하진 않아서 제대로 된 모양새는 알 수 없었지만 생전 처음 보는 이상한 나무였다.

"아, 저거. 죽으라고 저리 둔 거요. 내가 식물 관리를 제대로 못한 게 아니니까 오해 마시오."

식물을 사랑한다던 남자는 단번에 불쾌한 눈빛을 보

이며 혀를 찼다.

"이 앞에 노상을 펼쳐 놓고 장사하던 점쟁이가 있었는데…… 어느 날 호기심에 들여다보니 부러진 나뭇가지나 씨앗들을 늘어놓고 있는 게 아니겠소? 꼭 나를 겨냥한 것처럼 신기하고 희귀한 녀석들만 있더군. 나는 그중에서 처음 보는 씨앗 하나를 비싼 값을 치르고 샀지. 저 녀석이 그 녀석인데…… 키워 놓고 보니 영 불길하단 말이지."

"불길해요?"

"꼴을 보기만 해도 속이 울렁거리고 기분이 나쁘잖소."

"그럼 갖다 버리든가 죽여 버리지, 왜 방치해 두고 있습니까?"

"하, 당연히 그러고 싶지. 그런데 들어 보시오. 처음엔 실내에서 키우던 이끼들과 함께 두었단 말이오. 채광이 안 좋은 구석에서 알아서 말라 죽으라고. 그런데 저 녀석은 계속 키가 자라고 잘 자라던 이끼들이 다 썩어 들어가지 않겠소? 희한한 건 해가 드는 바깥에 두니 다른 나무들한테 해를 끼치지 않는다는 거요. 꼭 자길 바깥으로 내보내지 않으면 여기 있는 식물들을 다 죽여 버리겠다는 것 같아서 소름 끼치지 않소? 식물 주제에 어떻게든 해를 보겠다는 욕망이 있는 것 같기도 하고……."

나는 고개를 갸웃거렸다. 햇빛을 보고자 하는 건 나무라면 당연히 가질 욕망 아닌가. 주인장은 내가 자신의 말을 허무맹랑하게 받아들이고 있다고 생각한 건지 얼굴이 붉어진 채 턱을 긁적이며 말했다.

"쯧. 우연인지 필연인지는 모르겠지마는……. 자고로 식물상들 사이에는 불문율이 있소. 의사를 표현하는 식물을 직접 뽑아 죽이면 불행한 일이 닥친다는. 뭐, 저기 두면 눈에도 안 띄고 해도 끼치지 않으니 제아무리 생명력 좋은 나무라도 언젠간 말라 죽겠지."

흉측하다며 방치된 나무. 그럼에도 살아남겠다고 주변을 해하고, 겨우 해를 보게 된 녀석. 하지만 저 녀석이 있는 곳은 아무리 야외라 한들 빗방울마저 튀지 않는 구석이니, 분명 가까운 시일 내에 죽을 것이다. 나는 의도치 않게 죽어 가는 생명의 마지막을 목격하게 된 것 같아 기분이 묘해졌다.

주인장은 측은지심을 담은 찰나의 눈빛을 봤는지 후다닥 커다란 화분을 낑낑대며 내 앞으로 끌어오더니 말했다.

"동전 하나! 그쪽은 이 녀석이 마음에 드는 듯하니, 헐값에 주겠소. 값을 받지 않고 식물을 팔면 영 운수가 나빠서."

내 앞으로 끌려온 나무 위로 부슬비가 떨어졌다. 바싹

말라 있던 연한 붉은빛의 줄기가 자그마한 빗방울들을 머금고 짙게 물들어 갔다. 거칠게 화분을 끌어오는 통에 겨우 붙어 있던 나뭇잎들마저 바닥에 투두둑 떨어졌다. 나는 마치 아기의 손이 오그라든 듯한 모양새의 마른 이파리 하나를 주워 들며 물었다.

"얘 이름은 뭔데요?"

"샤. 씨앗을 팔던 점쟁이가 그리 말하더군."

주인장은 골칫덩이를 해치워 기분이 좋은 듯 싱글벙글 웃으며 우비까지 내게 씌워 주고 손수 낡은 수레에 화분을 실어 주었다.

"수레는 늦게 돌려주어도 되오. 잘 가시오."

우둘투둘한 돌바닥 위로 힘겹게 발을 내디뎠다. 집까지 가는 길이 수레 하나 때문에 아득하게 느껴졌다. 올 때만 해도 슬슬 산책하듯 걸어왔는데 커다란 짐 덩이를 끌고 가려니 죽을 맛이었다. 더군다나 빗줄기가 점점 거세졌다. 뒤집어쓴 우비 때문에 안 그래도 시야가 좁은데 굵은 빗방울이 계속해서 눈에 들어오는 통에 눈알은 뻑뻑하고 기분은 최악으로 치달았다. 정수리가 화끈거릴 정도로 화가 치솟아 몇 번이고 수레 손잡이를 패대기쳤다.

버리고 갈까.

머리가 지끈거리고 허리가 뻐근해 눈을 감고 고개를 들었다. 시원하고 습한 공기가 코로 밀려 들어왔다. 수차례 숨을 들이쉬고 내뿜다 보니 몸 안의 열기가 물안개를 타고 사라졌다. 그러면 다시 미지근해진 수레 손잡이를 잡았다.

혹여나 정말 썩은 쓰레기를 집까지 끌고 가는 멍청한 일이 될까 싶어, 중간부턴 입고 있던 우비를 벗어 샤의 몸통을 꽁꽁 싸맸다. 그러곤 벗어 둔 모자를 집어서 눌러쓰고 다시 수레를 질질 끌었다. 누가 보면 작은 어린아이의 시체라도 묻으러 가는 모양새였지만 이 시골에, 이 비 오는 날에 챙이 넓은 모자를 쓴 채 수레를 끄는 여자에게 말을 걸 사람은 아무도 없었다. 거센 빗방울에 고개를 푹 숙인 징그러운 해바라기 떼만이 나와 샤를 바라볼 뿐이었다.

딱 주저앉고 싶을 때 오두막이 보였다. 가득 찬 물안개와 무성한 나무들 사이에서도 새빨간 페인트를 칠한 오두막은 선명하게 보였다.

집 앞에 도착하자마자 샤의 화분을 수레에서 내렸다. 휘날리는 바람이 머리를 뒤집는 통에 누가 입속에 실 뭉텅이를 쑤셔 넣는 것만 같았다. 재빨리 아무 곳에나 대충 뿌리를 박아 두고 집에 들어갈 양으로 개 새끼처럼 양손으로 진흙을 퍼냈다. 집 바로 앞에 작은 구멍을 만들고 작은 화분에 박힌 샤의 몸뚱이를 빼내어 기둥을 세웠다. 몇 없던 이파리는 매가리 없이 우수수 떨어진 지 오래였고 이 녀석이 살아 있다는 걸 알 수 있는 단서는 아무것도 없었다. 살아는 있겠지 믿으며 구덩이 속에 박은 마른 뿌리의 빈 공간에 진흙 뭉텅이를 던져 넣었다. 부드러운 흙 속에 섞인 작은 자갈이 손톱 사이에 끼었을 땐 나무줄기를 밟아 부러뜨리고 싶었으나, 꾹 눌러 참으며 줄기의 수직을 맞췄다.

해도 비도 막아 줄 처마가 없는 오두막 앞에 샤의 줄기가 우뚝 세워졌다. 내 키의 반만 한 샤는 빨간 오두막 앞에서 처량하게 비를 맞았다. 그 모습을 가만히 바라보는데 내 몸에서 끔찍한 쉰내가 풍긴다는 걸 그제야 알아챘다. 머리는 이리저리 엉켰고 손과 팔뚝은 가지와 자갈에 긁힌 생채기로 따끔거렸다. 상처에서 배어 나온 가느다란 핏줄기가 들러붙은 흙덩이에 스미는 걸 보며 문득, 생각했다.

근데 내가 이걸 왜 샀지?

나는 비를 맞을수록 짙은 붉은색을 띠는 샤를 보며 고개를 갸웃대다가 집 안으로 들어갔다.

✦

이사를 강행하기 전, 나는 가시나무같이 삐죽삐죽한 공장들이 그득한 도시에서 살았다. 우중충한 장맛비가 내리던 때였다. 정돈된 콘크리트 바닥에 스미지 못한 빗물이 정처 없이 기어 다녔다. 나는 사람들이 훤히 보이는 2층 집 테라스에 앉아 또각거리는 구두 굽들이 빗물을 차 대는 것을 멍하니 바라보곤 했다. 오래된 괘종시계가 정오를 알리면 그제야 습기로 축축해진 발을 차박차박 떼어 부엌으로 갔다. 찬장에서 투명한 유리그릇을 꺼내어 버석버석한 오트밀과 우유를 한데 넣어 뭉친 뒤 입에 욱여넣었다. 소가 여물을 씹듯 골판지 맛이 나는 덩어리를 씹고 씹다 보면 어떻게든 목구멍으로 넘어갔다. 그렇게 살아도 사람은 죽지 않는다.

나는 이런 질긴 생명력을 쓰고 그리는 걸 좋아했다. 내 애인이 그랬다. 시골에서부터 아득바득 노력해서 결국은 높디높은 건물 속에 품어진 아이였다. 그러곤 날 버렸지만……. 한동안 머리가 술로 찰랑거리는 느낌이 들 때까지 취해 가면서 동화를 썼다. 취해야 일을 할 수 있었다. 그 아이가 등장하지 않는 동화 속엔 공주님밖에 없었다.

왕자에게 배신당한 공주는 더 이상 공주로 불리지 않았다. 그런 소녀는 소녀일 뿐이었다. 짝을 잃은 소녀에겐 소녀 자신밖에 남지 않았고 휘청이면 그대로 넘어지고 마는 평범한 사람이 되었다. 왕자가 오뚝해서 어여쁘다고 말했던 코는 들어올 복도 달아날 것 같은 형편없는 코가 되었고, 숱이 많아 복슬복슬 만지는 느낌이 좋다던 머리칼은 미친 마녀의 머리가 되었다. 소녀는 사랑의 마법을 잃었다.

그럼에도 소녀는 어딘가 진실된 사랑이 존재한다고 믿었다. "그래, 왕자는 속이 검었지. 원체 속이 투명한 사람은 아니었어. 그가 나를 속였을 뿐이야." 공주는 모험을 떠났다. 무한한 사랑과 영감을 줄 사랑을 찾아서.

쟁여 둔 흑연이 똑 떨어지고 나서야 고개를 들었다. 그러다 씻은 게 언제인지도 모르겠다는 생각이 들었다. 저릿저릿한 손을 털어 내며 욕실로 향했다. 얼굴을 가리고 있던 부스스한 머리칼을 넘기니 세면대 거울 속에 술 냄새를 풀풀 풍기는 여자가 서 있었다. 여자는 다크서클이 코 밑까지 내려왔고 입안은 알코올 향과 담배 찌든 내가 뒤섞여서 끈적였다.

"안나, 한심한 한나…… 푸흐흐……."

안나는 거울 속 어리석고 한심한 한나를 바라보며 실실 웃다가 욕실 타일에 쓰러져 누워 잠들었다. 그러다 눈을 떴을 때 흔치 않게 정신이 또렷했고, 그날 동네 치료소를 찾았다.

"선생님. 저 주름 많죠?"

"예?"

"그래서 걔는 이제 저를 안고 싶지 않은 걸까요."

고풍스러운 건물에 자리한 치료소엔 안락한 의자와 푹신해 보이는 곱슬머리의 여자가 있었다. 여자는 내가 무슨 말을 하든 수첩에 파란색 잉크로 무언가를 계속 메모했다.

"아, 아니지. 더운 날에 아이스크림을 하나만 시켜서 나눠 먹자 그랬던 게 싫었을까요? 어쩐지, 눅눅한 과자 부분만 깨작대긴 했어요. 아니면…… 걔가 헤어지자 그랬을 때 바보같이 어렸을 때 얘길 꺼내서 더 질렸던 걸까요? 어렸을 때 비 오는 날이면 개랑 흙 퍼다가 미트볼이라고 하면서 놀았거든요. 좋았던 때를 말하면 다시 돌아올까 싶어서……."

내가 들어올 때부터 부드럽게 올라가 있는 입꼬리, 그리고 질문만 던지던 고저 없는 중간 톤의 목소리. 여자는 내 얘길 들으며 연신 고개를 끄덕였지만 이상하게도 나는 그녀가 도통 내 이야기를 듣고 있는 것 같지 않았다.

"말씀하신 그분과 헤어지고 나서, 새로 생긴 습관이나 패턴 같은 게 있을까요?"

나는 과히 푹신해서 불편한 엉덩이를 들썩이며 답했다.

"……투명한 유리그릇만 써요. 탁한 국물 요리도 싫어요."

"이유가 있나요?"

"그걸 알려 주는 게 선생님 일 아닌가요?"

그녀는 날 선 내 태도에도 미소를 거두지 않았다. 수첩이 세 장쯤 넘어갔을 때에야 나를 응시하는 탁한 녹색 눈동자를 볼 수 있었다. 뚜렷한 병명이라도 결정되었나 싶어 침을 꿀떡 삼키며 그녀의 목소릴 기다렸다. 우울증? 편집증? 그것도 아니면 단순 알코올 의존증? 어떤 것이라도 좋으니 금방이라도 질식할 것만 같은 비애감에서 빠져나갈 수 있는 해결책을 주었으면 했다.

"자, 저를 따라 해 보아요. 양팔을 있는 힘껏 뻗어요. 잘하셨어요. 이제 양팔을 교차하며 당신 몸을 안아요. 그리고 거울을 봐요. 그 모양을 기억해요. 당신의 심장 모양이에요. 당신만의 모양을 사랑해 줄 사람은 당신밖에 없어요."

나는 여자를 따라 입꼬리를 올렸다. 나는 팔을 포박당한 짐승 꼴로 소파에 파묻혀서 실실 웃으며 물었다.

"다 이렇게 사는 건가요?"

"네?"

"이렇게…… 유머를 즐기면서……."

돈을 받고 가식적인 미소나 짓는 사람을 찾아간 게 잘못이었다. 서둘러 건물 밖으로 나서는데 차마 삼켜지지 않는 욕이 입 밖으로 자꾸만 새어 나왔다. 건물 입구에 있는 계단 앞에 서자 비가 그쳐 있었다. 나는 매정한 파란 하늘을 가만히 바라보다가 우산을 펼쳐 들어 정수리에 우산살이 닿을 정도로 눌러 쓰고는 걸음을 내디뎠다.

"비 그쳤수, 아가씨."

가래 낀 목소리가 아래쪽에서 들려왔다. 계단에 신문지를 깔고 앉아 있는 노인이 흐리멍덩한 녹색 눈을 끔뻑이며 나를 바라보고 있었다. 늙은 여자는 집시나 입을 법한 치렁치렁한 천 쪼가리를 걸치고 나뭇가지 두 개를 사슴뿔처럼 엉킨 머리에 꽂고 있었다. 그녀는 수겹의 천을 걸친 팔을 천천히 들어 올리더니 내 우산을 가리켰다.

"그거, 내가 필요 없게 만들어 줄 수 있는데. 동전 하나로."

한때 어린 여자들이 용한 점쟁이를 따라다닌다는 이

야길 들은 적이 있다. 그 말을 들은 전 애인은 스스로 할 줄 아는 것 없는 한심한 족속들이 헛소리하는 노숙자한테 돈을 갖다 바친다며 이죽거렸다. 하기야, 살아 있지도 않은 고철 덩이가 사람을 태우고 다니는 세상에 점괘를 믿을 이는 유머 넘치는 상담소를 방문하는 실패자들뿐일 것이다. 노인이 부러 이곳에 자리를 잡은 것인지는 알 수 없었지만 적어도 그녀의 눈썰미는 불쾌하도록 날카로웠다.

치료사와 달리 웃음기 하나 없는 그녀의 주름살을 바라보다가 천천히 우산살을 접었다. 얼굴을 가릴 용도일 뿐이었던 마른 우산을 젖은 계단 위에 올려 두고 그 위에 쪼그려 앉았다. 뭉친 우산살들 때문에 엉덩이가 울퉁불퉁해졌지만 치료소의 푹 꺼지는 소파보다는 나았다.

점쟁이는 내게서 동전 하나를 받아 가고는 고개를 주억거리기 시작했다. 적어도 투명 구슬을 쓰다듬는다든지, 요란한 구슬이 달린 막대기를 흔든다든지 하는 퍼포먼스를 기대했는데 고개를 흔드는 것만이 의식의 끝인 듯했다. 머리에 꽂은 나뭇가지가 점괘의 신호를 잡는 통신탑처럼 까딱거렸다. 노인의 목에 주름진 살들이 틈 없이 굴러가는 기계의 톱니바퀴처럼 규칙적으로 출렁거리다가 우뚝 멈춰 섰다.

“아가씨. 태풍이 오기 전에 어린 날에 마셨던 물을 마시러 떠나. 그럼 다시 숨을 쉴 수 있을 게야."

노인은 정말 신기神氣라도 있는 것인지, 눈치 빠른 사기꾼인지. 나는 그녀의 말이 적어도 상담사가 내놓은 것보다는 구체적인 해결책이라고 생각했다. 노인은 천연덕스럽게 동전에 입김까지 불어 대며 소중하게 닦아 댔다.

"태어났던 곳으로 가란 거예요?"

"그럴 수도, 아닐 수도 있고……. 첫 기억은 저마다 다른 법이니까."

나의 첫 기억은 내 사랑과 나의 고향. 요양차 거처를 옮기는 것은 그다지 어려운 일은 아니었다. 어렸을 적 살았던 빨간 오두막에 가족이 때마다 관리인을 보낸다고 했으니, 종이와 연필만 넉넉히 가져간다면 내일 당장이라도 도시 생활을 손쉽게 정리할 수 있었다. 하지만 그곳으로 간다고 해서 정말 숨을 쉴 수 있을까. 나는 내가 쓰던 동화의 결말을 쓸 수 있을까.

나는 코를 훌쩍이고 있는 노인에게 동전 하나를 더 내밀며 물었다.

"내게도 운명의 짝이 있나요?"

노인은 내 질문을 듣고는 대번 입을 쩍 벌리더니 혀뿌리 밑에 내가 두 번째로 내민 동전을 수납하듯 집어넣었다. 그녀는 두 번째 동전이 마음에 드는지 헤벌쭉 웃으며 엉성한 발음으로 말했다.

"그곳에서 하늘이 무너져도 함께할 운명을 만날지도 모르지."

조경 수목 아래에 숨어 있던 붉은 눈의 까마귀 떼가 무리 지어 날아올랐다. 곧 태풍이 온다.

✦

쩌렁쩌렁한 수컷 매미의 울음소리에 꿈속을 빠져나왔다. 어찌나 일정한 음으로 울어 대는지 귀에서 이명이 들리는 줄만 알았다. 몸을 한껏 동그랗게 만 채 숨을 헐떡이며 눈알을 데구룩 굴리며 이곳이 어디인지 파악했다. 베개는 머리 위에 덩그러니 놓여 있고 이불자락을 동아줄처럼 손에 꽉 쥔 채였다. 뻑뻑한 눈을 껌뻑이다가 겨우 몸을 주욱 폈다. 팔다리 주름들이 펴지며 젖은 곳이 말라 가는 게 느껴졌다. 몸속에 뭉쳐 있던 열기가 점차 빠져나갔다. 그제야 낯선 천장 무늬가 눈에 들어왔다.

"아⋯⋯ 나 이사 왔었지."

3일째 같은 말을 중얼거리며 잠을 몰아냈다. 오늘의 다른 점이라고 한다면 몸살 기운이 느껴진다는 것 정도일까. 어제 비를 뚫고 수레를 끌던 게 무리가 되긴 했는지 잠에서 깨자마자 양팔이 뜯어질 것처럼 근육통이 몰아쳤다. 침대 끝에 걸터앉아 바닥에 넘실거리는 햇볕 조각을 보고 하늘이 개었다는 걸 알았다.

가슴팍에 철썩 달라붙어 있는 속옷을 떼어 내며 커다란 레이스 모자를 머리에 눌러썼다. 묵직한 대문을 밀자 강렬한 햇볕이 눈을 때렸다. 찡그린 채 내려다본 문 앞에서 더위에 늘어진 비둘기 한 마리가 슬쩍 고개를 들어 올려 보았다. 도시 비둘기는 영악하기만 하고 깃털이 떡지고 푸석했는데, 남의 집 앞에 눌러앉은 이 녀석은 홀쭉한데도 윤기가 자르르 흘렀다. 비둘기와 눈싸움을 하고 있자니 앙칼진 매미 울음소리가 반대쪽에서 들려왔다.

"네 녀석이구나."

새끼 매미가 자그마한 어린나무에 들러붙어 있었다.

샤, 줄기는 배배 꼬이고 나뭇잎이라곤 하나도 붙어 있지 않은 볼품없는 나의 나무. 이 불쌍한 것한테 무얼 뽑아 먹을 게 있다고 하고 많은 나무 중에 이곳에 붙었는지. 나는 조심히 매미 몸통을 잡아 저 멀리 던졌다. 녀석은 끼각 하는 괴상한 소리를 내더니 날개를 펼치고 날아갔다.

어제 불어닥친 태풍 바람이 만만치 않았는데도 샤는 내가 세워 준 그대로 꼿꼿하게 우뚝 서 있었다. 어느새 진흙탕이었던 바닥은 강렬한 뙤약볕에 단단하게 굳어 붉고 구불거리는 뿌리를 붙잡고 있었다. 기특하고 흉측한 샤. 그리고 볼살은 폭삭 주저앉고 땀에 떡 진 머리일게 분명한 흉측한 나.

샤의 옆에 쪼그려 앉아 샤의 줄기를 쓰다듬었다. 여전히 퍼석했지만 기분 탓인지 어제보다는 상태가 나아 보였다. 줄기의 끝자락, 그리고 괴이한 형태로 튀어나온 뿌리를 차례로 쓰다듬었다. 마치 연인의 코끝과 눈꺼풀을 쓰다듬듯이.

"나는 너를 헐값에 사 왔단다. 더러운 진흙탕에 떨어져 있다면 굳이 줍지 않을 동전 하나 값에 말이지. 너를 씨앗부터 키운 사람은 후련하다는 표정을 짓더구나. 알겠니? 넌 내 곁이 아니라면 머물 곳 없는 잡초란다. 하지만 나는 알고 있지. 잡초도 키우기 나름이란 걸. 난 널 남부끄럽지 않게 키울 거야."

샤에게 처음으로 말을 건넨 날은 번듯한 한여름이었다.

✦

샤는 하루가 다르게 생장했다. 자그마하던 나무는 일주일 새 내 키를 훌쩍 뛰어넘었다. 무럭무럭 잘 클 것을,

굶겨 가면서 부러 크지 못하게 했구나 싶어 안타까웠다. 식물을 수집한다는 작자가 이리도 보는 눈이 없다니.

순식간에 커질 줄 알았다면 집과 좀 떨어진 곳에 심을 걸 그랬다. 식사할 때 창문 밖으로 바라볼 수 있고 침대에서 손을 뻗으면 줄기를 쓰다듬을 수 있는 것은 좋았지만 더 커진다면 줄기가 지붕을 뚫을지도 모르는 일이었다. 그래도 하루하루 내게 다른 모습을 보여 주는 샤는 기쁨이자 안식이었다. 식물은 처음 심을 때 공들여 심고, 그 뒤엔 버린 것처럼 하라던데. 나는 반대인 꼴이었지만 샤는 잘 자랐고, 난 샤를 아꼈다. 문제 되는 건 아무것도 없었다.

나는 아침을 먹고 나면 문 밖에 나와 샤의 옆에서 책을 읽었다. 문득 동화를 이어 쓰고 싶을 때도 있었지만 건강을 회복한 뒤로 미뤄 두었다. 지금은 커다란 챙이 달린 모자를 써야 하지만 볼품없는 내 몸에 살이 붙고 퍼석한 샤의 가지에 생기가 돌아 푸릇한 잎사귀가 돋을 때쯤이면 모자가 필요 없어질지도 모른다. 낭만적인 삶이었다. 괜히 도시의 삶을 고집했던 걸지도 모르겠다. 어린 날의 추억은 그다지 떠오르지 않았지만 쑥쑥 크는 나무 한 그루와 함께하는 전원생활은 지극히 평화로웠다.

"샤. 오늘은 신에게서 도망치다가 나무가 되었다는

여자의 이야기를 읽었어. 신은 나무껍질이 되어 가는 여자의 보드라운 살결에 절망했대. 나무와는 사랑을 나눌 수 없다면서 말이야. 하지만 그건 뭘 모르고 하는 소리지. 신이 정말로 그녀를 사랑했다면 나무가 된 그녀도 변함없이 아껴 주지 않았겠어? 난 널 절대 배신하지 않아, 샤."

✦

"세상에."

샤의 가지에 연둣빛의 귀여운 새싹이 돋아났다. 다섯 갈래로 갈라진 통통한 잎사귀였다. 나는 갓 태어난 아기의 손을 만지듯 조심히 이파리를 매만졌다. 검붉은 줄기를 만질 땐 험한 일을 하던 광부의 살갗을 만지는 듯했는데, 작은 이파리는 믿기 힘들 정도로 보드라웠다. 마냥 매끈한 것도 아닌 것이, 바나나의 속살 같은 감촉이었다. 작지만 부풀어 있는 모양새이기에 살짝 눌러 보니 안쪽에 젤리질의 무언가가 가득 차서 몰캉거렸다. 하나만 똑 따서 반으로 갈라 보고 싶었지만 아직 어린 순인 만큼 꾹 눌러 참았다. 마치 내가 아기를 출산하기라도 한 것처럼 형용할 수 없는 사랑스러움을 느꼈다.

샤의 이파리를 만지작거리는데 문득 내 손의 주름이

눈에 띄었다. 전 애인이 싫어하던 징그러운 내 주름. 난 나뭇잎의 잎맥을 들여다보듯 엄지와 검지가 접히는 부분을 낯설게 관찰하며 샤에게 말했다.

"샤, 보여? 너와 닮았어. 내 손에도 주름이 많아. 너와 같은 잎맥이야, 샤."

이렇게 벅차오른 순간이 있었던가. 오래도록 짝사랑했던 걔가 내게 사귀자고 했을 때 정도가 비슷하려나. 반갑지 않은 낯이 떠오르자 불쾌해져서 샤의 줄기를 와락 껴안았다.

"수고했어 샤. 정말 수고했어."

소녀는 고난 끝에 세상 모두를 지탱할 만큼 우직한 세계수를 발견했다. 그의 이름은 샤. 사랑의 마법이 없었던 샤는 흉측한 모습으로 사람들에게 돌을 맞고 있었다. 소녀는 상처 입은 샤를 집으로 데려와 극진히 보살펴 주었고, 샤는 그에 대한 보답으로 열매를 맺어 소녀에게 바쳤다. 둘은 서로가 자랑스럽고 사랑스러웠다. 소녀에게 두 번째 사랑의 마법이 찾아왔다.

샤가 첫 새싹을 틔운 날, 동화 속 소녀가 다시 행복해졌다. 내일은 차별주의자 식물상한테 가서 영양제라도 뜯어 와야겠다고 생각했다.

✦

건조대에서 어젯밤에 설거지해 둔 유리그릇을 꺼냈다. 평소처럼 샤가 보이는 식탁으로 그릇을 가져가려다 마른 물 자국이 눈에 띄었다. 그럴 땐 다시 물에 담그고 마른행주로 닦아 낸다. 불투명한 것이 싫다. 하지만 물만 먹고 살 수 없으니 뭐라도 먹어야 하는데…….

땀으로 살갗이 끈적이는 날씨가 이어지자 오트밀 덩어리가 도저히 목구멍으로 넘어가질 않았다. 대신할 것으로 아주 묽은 수프를 끓여도 보았지만 수저를 흔들 때마다 뿌옇게 물결이 이는 모양새가 영 마음에 들지 않아서 먹지도 않고 하수구에 버렸다.

얼마 전 식물상에게 영양제를 받으러 갔을 때 그는 내 팔목을 보더니 금방이라도 바스러질 나뭇가지 같다며 치아시드라는 걸 한 줌 건네주었다. 캔버스 주머니 속을 들여다보니 꼭 연못에 군락을 이루며 떠 있는 개구리의 알 같기도 했고, 딱정벌레의 등딱지 같기도 했다. 이게 무엇이냐는 내 물음에 그는 으스대며 말했다.

"치아라는 식물의 씨앗인데 영양에 아주 좋소. 수프에 불려 먹으면 그럭저럭 먹을 만한 맛이 나지."

그가 커다란 입을 벌리며 '씨앗'이라는 단어를 뱉을 때, 나는 선홍빛의 연한 살갗에 울퉁불퉁하게 연결되어 있는 그의 치아를 보았다. 하나같이 개성 있게 생긴 치아시드. 그는 수많은 치아시드를 입안에 쑤셔 넣고 우그적 우그적 씹어 댔을 것이다. 나는 수백의 치아시드가 담겨 있던 주머니를 그대로 던져 두곤 그 자리를 서둘러 떠났다. 속이 매스껍다 못해 명치가 얼얼하도록 신물이 올라왔다. 저 아이들도 샤와 같은 애들일까. 샤였다면, 형제처럼 여기지 않았을까. 싱그러운 바람을 나누어 주고 씨앗 껍질을 틔우는 방법을 일러 주었을지도 모른다. 치아시드를 보고 온 날부터 물을 제외하곤 아무것도 먹을 수가 없었다. 아마 3일 정도. 샤처럼 물과 햇빛만 먹고 살 수 있다면 얼마나 좋을까. 고귀한 샤.

더 굶다간 죽을 것 같아 먹을 만한 걸 찾기 위해 시장에 나갔다. 시장은 초록과 갈색의 향연이었다. 잎사귀 채소는 샤의 팔과 다리를 조각조각 낸 것만 같았고 뿌리 채소는 몸뚱이를 수치스럽게 벌거벗겨 놓은 것 같았으며, 말린 보존식은 샤를 죽이고 피를 뽑아내어 바짝 말린 것만 같았다. 구역질이 났다. 울렁거리는 배를 부여잡고 두리번거리자 빨간 장갑을 낀 여자가 내 팔을 붙잡았다.

"괜찮아요?"

말없이 고개만 끄덕이자 여자는 내 낯빛을 뜯어보더니 신문과 마 끈으로 싼 두툼한 덩어리를 건넸다.

"더위 먹었나 본데, 그럴수록 잘 먹어야 해요. 이거 줄 테니까 가져가서 푹 삶아 먹으쇼."

여자는 등을 탁탁 두들기곤 가게 앞에 세워 둔 도끼를 잡아 들어 안으로 들어갔다. 쾅! 하는 커다란 소리에 화들짝 놀라 바라보니 그녀는 날카로운 발톱이 달린 발목을 자르고 있었다. 붉은빛으로 가득 찬 그녀의 가게는 무더운 날씨 탓에 지독한 비린내가 풍겼지만 구역질이 나진 않았다.

뜨거운 증기를 내뿜는 냄비에 정체 모를 살덩이를 넣고 쪄 냈다. 유리그릇에 담긴 뽀얀 살덩이는 반으로 갈라도 겉과 다름없이 새하얀 색이었다. 여자가 준 그것은 배신감이 들지 않는 안정적인 감칠맛이 났다.

그제야 좀 기운이 나서 동화를 이어 쓸 수 있었다.

소녀는 언제나 샤와 식사를 함께했다. 소녀가 먹는 것이 곧 샤가 먹는 것이었다. 소녀는 곱게 쪄 낸 짐승의 살 조각을 샤의 뿌리 근처 흙 속에 파묻었다. 그러곤 얼마 뒤 흙을 걷어 내면 고기의 흔적은 어디에도 없었다. 코를 박고 고기의 누린내를 찾아보았지만 쿰쿰한 흙냄새밖에 나지 않았다. 소녀는 사랑이란 혀끝의 맛을 공유하는 것부터 시작이라는 것을 깨달았다. 그들은 혀의 감각과 뿌리의 감각을 나눴다. 점차 서로의 몸을 하나로 만들었다. 소녀의 몸 속에 있는 것은 샤의 줄기 속에도 있었다.

일주일 뒤 이제는 나를 알아보는 빨간 장갑의 여자가 반갑게 인사하며 검은 봉투를 내밀었다. 어렵게 구한 해양 생물이라고 했다. 나는 그녀에게 동전 서른 개를 건네고 그것들을 모두 받아 왔다.

나는 집에 도착하자마자 검은 봉투에 담겨 있는 그것들을 샤에게 보여 줬다. 도시에서도 먹어 볼 기회가 없어서 이름은 알지 못했지만 빨간 장갑의 여자가 내게 알려 주었던 것들을 원래 알고 있었던 것처럼 샤에게 으스대며 알려 주었다.

"이것 봐, 샤. 붉은빛을 띠던 생고기와 달리 이것들은 날것인데도 살결이 참 뽀얗지? 짐승의 것과 달리 탄성도 없고 물컹물컹해. 미끈거리고 끈적이는 것이 축축한 피와는 또 달라."

샤는 나뭇잎을 흔들어 대며 내 말을 경청했다. 내 말은 듣지도 않고 무시하던 개와는 다르다. 샤는 시끄럽게 잘난 체하지도 않고 내 말을 끊지도 않는다. 다정하고 친절한 샤.

샤는 이제 이파리가 풍성한 번듯한 나무였다. 이파리의 크기는 손바닥 세 개를 합친 정도로 커다랬고 풍선처럼 점액질이 그득히 차올라 두터운 것이 매력적이었다. 이파리들이 미지근한 바람과 함께 위아래로 꺼떡거렸다.

"귀한 건 모두 네게 줄게. 사랑해 샤."

한껏 팔을 열어 샤의 몸통을 안았다. 언제부턴가 팔꿈치를 들어 주지 않는 탓에 팔 사이에 손을 비집고 넣어 옆을 걸어야 했던 과거와는 다르다. 언제나 내가 안아주기만을 기다리는 몸통. 이제 두 팔로는 다 안을 수 없는 샤의 단단한 줄기. 하늘을 향해 자신의 몸을 타고 올라가듯 배배 꼬인 그의 몸통은 마치 선명한 갈비뼈 같아서 소름 끼치도록 아름다웠다.

✦

거친 돼지털로 만든 빗자루를 힘껏 내리쳤다.

지—지직. 직.

통통하게 살이 오른 몸통이 으깨어지며 귀청 떨어지게 울어 대던 그것이 목숨을 다하는 소리를 냈다. 네가 뭔데 샤의 몸에 붙어서 울어 대. 감히 샤의 수액을 빨아먹고 살을 불려.

"미안. 금방 닦아 줄게."

샤의 줄기에 붙은 다리 조각과 내장 파편들을 젖은 수건으로 닦아 내며 또 다른 기생충이 없는지 살폈다. 최근 비가 자주 내리면서 아름다운 샤에게 들러붙는 벌레들이 많아졌다. 하루는 샤에게 아침 인사를 하러 나갔더니 새 한 마리가 몸통을 쪼아 대고 있어서 경악을 금치 못했다.

"너를 집 안에 둘 수 있다면 좋을 텐데."

밖엔 샤를 해칠 만한 것들이 너무 많다. 하지만 샤를 가둘 수 있는 집은 없을 것이다. 샤는 벌써 단층인 오두막 높이를 훌쩍 넘어섰고 집 전체에 그늘을 만들어 낼 정도로 우거졌다. 덕분에 우르르 비가 쏟아질 때도, 강렬한 햇빛이 내리쬘 때도 집 안에만 있으면 시원하고 고요했다. 내가 샤를 돌보아 주는 것 같지만 사실 샤가 온몸으로 나를 지켜 주고 있는 것이다.

매일 아침 샤부터 살폈다. 흙에서 울퉁불퉁 튀어나온 붉은 뿌리부터 줄기, 가지와 이파리까지. 훌쩍 덩치가 커져 버린 샤의 꼭대기를 자세히 살필 수 없는 것이 아쉬웠다. 사다리라도 사 와야 하나 고민하며 위를 바라보는데 저 멀리 가지 사이로 둥글고 올록볼록한 덩어리가 보였다. 주먹만 한 크기의 덩어리는 맑은 푸른빛을 띠고 있어서 마치 유리구슬 같았다. 나는 환호성을 치며 샤의 줄기를 안았다.

"샤……! 너, 너! 열매를 맺었구나!"

꽃이 핀 것도 보지 못했는데 열매라니! 샤가 내 사랑에 보답한 것이 틀림없었다. 그가 내가 쓰던 동화를 본 거다. 내가 동화를 쓸 때면 언제나 샤와 함께였으니. 어찌 이리도 사랑스러운 일만 벌이는 걸까! 샤는 나를 어떻게 하면 기쁘게 할 수 있을까 언제나 고민하는 게 틀림없었다.

가슴에 손을 모으고 높은 곳에 매달린 샤의 열매를 바라봤다. 대단하고 기특한 샤. 만족스러운 한숨이 폐 깊은 곳부터 내뿜어져 나왔다. 이러고 있을 때가 아니었다. 나는 두꺼운 전화번호부를 뒤적이며 정원사의 번호를 찾았다. 샤의 모든 것을 알아야만 했다. 거센 태풍에도 굴하지 않고 열매를 맺은 샤의 의지를 헛되지 않게 하기 위하여. 나는 샤를 누구보다 잘 이해하지만, 나무의 생태는 잘 모르니까. 혹여 샤가 아프기라도 한다면 나는 식물상에게 달려가 영양제를 뿌리에 박아 주는 것밖에는 할 수 있는 것이 없다.

리암이라는 이름의 늙은 정원사는 한참이고 무릎을 엉거주춤하게 굽히곤 샤를 올려다봤다. 흰 셔츠가 땀으로 푹 젖었길래 찬물이 담긴 물 잔을 건넸는데도 그는 샤에게서 눈을 떼지 못했다. 내가 과장된 기침 소리를 내고 나서야 그는 퍼뜩 정신을 차린 듯 파르르 떨리는 손바닥으로 눈가를 덮으며 말했다.

"무얼…… 뭘 알고 싶으시다고요?"

"다요. 샤의 특성, 건강 상태는 물론이고 땅속에 파고든 뿌리의 깊이까지. 아, 몸통에 어떤 곤충들이 파고드는지도요. 샤에 대한 모든 것을 속속들이 알아봐 줘요."

"그런 거라면 식물 전문가를 부르는 것이……. 마을에 유명한 식물 상점이 있는데—"

"아뇨, 그는 무능해요. 그 사람은 샤에 대해 아무것도 몰라요."

리암은 연신 샤의 눈치를 보듯 힐끗대다가 숨을 몰아 쉬었다.

"제가 이 일만 30년 넘게 했는데, 이런 녀석은 생전 처음 봅니다. 뭐라도 알려면 속을 좀 봐야 하지 않을까 싶은데……."

"속?"

"열매라든지……."

"절대 안 돼요."

"그럼 가지라도 꺾어야지요. 건강한지 보려면."

애지중지 키운 샤의 살덩이를 잘라 내야 한다니. 휘몰아치는 태풍 바람에 잔가지와 이파리가 빗방울과 함께 투두둑 떨어질 때도 얼마나 가슴이 아팠던가. 진작에 분재처럼 작은 화분에 가두지 못한 것이 후회되어 비바람이 치는 날이면 나도 함께 우산을 쓰고 샤의 곁을 지키곤 했다. 하지만 샤의 상태는 알아야 하니……."

"딱 가지 하나만요."

리암은 내 손에 톱을 쥐여 줬다. 손이 바들바들 떨렸다. 톱을 건네는 그의 손도 알코올 의존자처럼 후들거리는 것을 보면 그 또한 샤의 가지를 잘라 내는 것을 끔찍하게 여기는 듯했다.

나는 리암이 추천해 준 대로 낮게 자란 두툼하고 커다란 가지 하나를 골라 잡아 심호흡을 한 뒤 톱을 위아래로 긁었다.

슥—삭.

단단할 것만 같던 샤의 몸이 단 한 번의 톱질로 부드럽게 분리됐다. 단숨에 잘라 내서 다행이라는 생각을 하던 찰나 앞에서 뿜어져 나오는 액체 때문에 눈을 뜰 수가 없었다. 비릿하고 진득한 액체가 본능적으로 질끈 감은 눈가를 따라 주르륵 흘러내렸다.

"으아—악!"

리암이 갈라지는 목소리로 비명을 질렀다. 나는 거칠게 눈앞을 비볐다. 겨우 시야가 트이자 주저앉아 뒷걸음질 치는 리암과 동맥이 끊긴 것처럼 검붉은 진액을 내뿜는 샤의 굵은 가지가 보였다.

"샤—! 오— 이런, 샤!"

나는 서둘러 입고 있던 긴치마를 걷어 올려 샤의 상처를 막았다. 낯선 남자 앞에서 속옷을 보이는 수치심보다 아프다고 호소하듯 울어 대는 샤를 위로하는 것이 우선이었다. 리암은 기껏 귀한 가지를 잘라 내었는데도 자세히 들여다볼 생각 없이 오줌이라도 지릴 것처럼 흐느끼기만 했다.

"이봐요, 그래서 샤에 대해 뭘 좀 알 것 같아요?"

늙은 정원사는 붉게 물들어 가는 내 드레스를 섬뜩하게 바라보더니 잔디밭에 널브려 놓은 자신의 장비들을 서둘러 가방에 쑤셔 넣으며 외쳤다.

"나, 나는 모르겠소. 가지 하나 잘랐다고 짐승같이 피를 내뿜는 나무 따위 들어 본 적도 없다고. 왜 저런 녀석이 이 땅에 뿌리를 내리게 됐는지는 몰라도 분명 저주받은 돌연변이일 거요!"

"말이 다르잖아요! 가지를 잘라 내면 뭐라도 알 수 있을 거라더니!"

"충고하건대, 당장 베어 버리는 게 좋을 거요!"

리암은 자신의 톱도 챙기지 않은 채 꽁무니가 빠지게 정원 밖으로 내달렸다. 정원의 철장에 무릎을 부딪쳐 나동그라지면서도 무언가에 쫓기듯 도망쳤다.

그 모습을 보고는 애꿎은 샤의 가지를 잘라 내게 한 리암에게 화가 났지만 어쩐지 나는 흥분에 가득 차 있었다. 아랫입술이 얼얼했다. 비릿한 피 맛이 내 것인지 샤의 것인지 알 수 없었다. 폭발하는 도파민에 정신이 아득해지고 눈앞이 어질거렸다.

"샤. 역시 너는 특별해."

샤는 내 드레스와 피부와 머리칼까지 온통 붉은색으로 물들이고 나서야 피를 멈췄다. 꼭 내가 샤의 파란 열매 속 알맹이가 된 것만 같았다. 나는 내가 잘라 버린 샤의 가지를 껴안고 그의 곁에 앉아 동화를 썼다.

"샤, 그거 아니? 수많은 예술가가 한낱 건초 더미를 뮤즈 삼아 그림을 그리곤 했다는 걸. 다들 그들이 그린 그림을 아름답다며 칭송했지만 왜 굳이 건초 더미를 그렸는지는 의아해했지. 그런데 샤, 난 알아. 그들은 시체 더미를 본 거야. 저물어도 아름다운 녹색의 에너지를 말이야. 어찌 눈을 뗄 수 있겠어. 분명 넌 죽어서도 많은 이들의 뮤즈가 되겠지. 하지만 넌 내 것이야. 그렇지, 샤? 나만의 뮤즈. 난 너와 한날한시에 죽을 거야. 아무도 너와 나 사이에 비집고 들어올 수 없어, 샤."

샤의 몸에서 소녀의 피가 뿜어져 나왔다. 소녀는 사랑의 증거를 보고 기뻐했다. 그러곤 샤에게서 떼어 낸 가지를 잘게 조각 내어 먹어 치웠다. 소녀의 몸속에도 샤가 깃들 수 있도록.

✦

창문으로 햇빛이 새어 들어왔다. 샤의 나뭇잎 사이로 조각조각 찢겨서 파도처럼 넘실넘실. 활짝 펼친 손을 떠올리게 하는 이파리의 그림자도 흔들흔들 군무를 추듯 바닥에 일렁였다. 내가 요즘 가장 좋아하는 시간이었다.

"샤. 난 햇빛을 좋아하는 게 아냐. 네게서 흘러들어 오는 빛 조각을 사랑하는 거지."

샤는 내 말에 대답하듯 커다란 이파리를 끄덕였다. 참으로 평화로운 시간이었다.

샤에 대해 알고자 하는 것은 그만뒀다. 샤에게 상처를 남길 뿐이라는 걸 알았다. 자고로 관심을 쏟되, 과히 파고들지 않는 것도 사랑의 미덕이니까.

"샤, 너는 내가 어렸을 적 좋아했던 만화 주인공 샬롯을 닮았어. 붉은 머리에 초록색 옷을 입고 다니던."

샤는 언제나 같은 곳에 서서 가만히 내 말을 들어 준다. 그리고 내 사랑에 아름다운 녹색 잎과 붉은 뿌리로 화답한다. 아름답고 경이로운 샤.

샤가 보이는 테이블에 앉아 어린 날의 이야기를 조잘대며 닭의 깃털을 실로 엮었다. 미리 준비하는 샤의 겨울옷이었다. 사실 멋 부림용 옷에 가까웠지만 처음으로 샤를 위해 준비하는 옷 선물이었다. 겨울엔 샤에게 선물해야 할 것이 많다. 아니, 선물하지 않고는 배길 수 없을 정도로 겨울의 샤는 앙상해질 것이다. 상상만 해도 눈물이 나왔다.

똑똑.

시장에서 얻어 온 깃털 더미 속에서 빨간색 다음에 엮을 주홍색을 찾을 때 문밖에서 노크 소리가 났다. 따로 찾아올 이 없는 이곳에서 노크 소리가 들린 것은 처음이라, 한껏 어깨에 힘을 주고 있었는데 밖에서 익숙한 목소리가 들렸다.

"안나. 나야. 그 안에 있지? 문 열어 봐."

전 애인은 오면서 더웠는지 각 잡힌 흰 셔츠를 걷어 올리며 스스럼없이 집 안으로 저벅저벅 걸어 들어왔다. 쭉 찢어진 작은 눈으로 무얼 검사라도 하는 것처럼 내부를 살피더니 닭의 깃털이 잔뜩 쌓인 테이블 앞에 앉았다. 뭔가 못마땅할 때 톡톡 테이블을 두드리는 손은 여전히 뼈 모양이 선명하게 보일 정도로 가느다랬다.

"이젠 차 한 잔 주기도 싫은 거야?"

"이 집에 차 같은 건 없어."

"찻잎이 한 종류도 없다고?"

"이 먼 고향까지 한가하게 차나 마시러 온 건 아니잖아? 용건이나 말해."

그는 일그러진 얼굴로 머리칼에 붙은 닭 깃털을 떼어 내며 말했다.

"네 집에 있는 내 물건을 가지러 갔는데, 네가 온데간데없잖아. 행방을 찾는데 고향으로 내려갔다고 하지 않나, 마을에는 영 이상한 소문이 돌지 않나. 빨간 오두막에 저주받은 나무랑 키스하는 미친 여자가 있다고 말이야. 꼴을 보니 틀린 말은 아닌가 보네."

"우리 사랑에 대해 함부로 말하지 마."

"허!"

아, 익숙한 표정. 헬륨 가스를 머금은 것처럼 높고 가느다란 목소리. 나를 한심하게 보는 주제에. 언제부턴가 고압적으로 굴던 주제에, 걱정하는 것처럼 구는. 나는 입꼬리를 올리며 익살스러운 표정을 지었다. 실실 웃다가 따라 웃지 않는 그의 표정을 보곤 점차 고장 난 기계처럼 꺼억꺼억 얕은 숨을 내쉬었다. 흉측한 목소리가 한나의 입속에서 기어 나왔다.

"맥."

기억났다. 얘 이름은 맥이었다. 날 참 별 볼 일 없는 한나로 만들었던 전 애인. 내 전부였던 질기고 끈질긴 형편없는 남자. 나는 맥의 이름을 떠올린 순간 땀방울이 흐르는 그의 목덜미에 시선을 빼앗겼다가 창밖으로 눈길을 돌리며 말했다.

"샤와의 사랑을 감히 인간의 시선으로 이해하려 하지 마."

"너도 인간이면서 무슨."

"나랑 샤는 서로 통해."

"뭐가 통해? 네 멋대로 지레짐작할 뿐이겠지. 진짜 저 괴상한 나무랑 키스라도 한 거야?"

"어."

"허, 어디에?"

"……."

"……무슨 맛이라도 나디?"

"화한 녹즙 맛."

"너, 너 알레르기라도 있는 거 아냐? 아님, 독성 있는 나무 아냐?"

"제발 날 우습게 보지 좀 마, 맥!"

새된 소리를 내지르고 거칠게 숨을 내쉬었다. 사나운 황소처럼 입과 코에서 바람을 풍풍 내뿜을 때마다 테이블에 쌓여 있던 닭의 깃털들이 주변으로 날아올랐다. 나는 벌겋게 열감이 느껴지는 귀를 부여잡고 이마를 테이블에 찧으며 목소리를 쥐어짰다.

"도대체 여긴 왜 온 거야? 날 배신한 주제에."

"네가 걱정되니까! 그걸 몰라? 살던 집은 텅 비었지, 가족도 출판사도 너랑 연락 안 된다지, 별의별 생각을 다 했다고."

"하, 내 걱정을 왜 해? 다시 나를 안고 싶어지기라도 했니? 걱정 마, 맥. 난 잘 먹고 잘 살고 있었으니까. 네가 오기 전까진."

사위가 조용해졌다. 나는 바닥을 향해 고개를 처박고 둥글둥글한 샤의 손가락들이 일렁이는 것을 보면서 빌었다. 샤. 나의 샤. 제발 저 남자를 이곳에서 내보내 줘. 너의 그 수많은 손가락들로 맥의 사지를 붙잡아 이 집에서 내쫓아 줘.

몇 분이나 지났을까. 맥이 깊은 한숨을 내쉬며 의자에서 일어났다. 그가 창문 주변을 서성이자 샤의 그림자가 한순간에 맥의 그림자에 먹혀 사라졌다. 곧이어 우릉, 하는 묵직한 소리가 주변에 울려 퍼졌다.

"하루만 재워 줘. 오늘 밤 태풍이 온대서 기차도 끊겼으니까. 그 정돈 괜찮겠지?"

"널 걱정해서 온 사람한테 대접할 최선의 잠자리가 이 닭털 더미야?"

"비바람 속에 쫓겨나고 싶지 않으면 닥치고 가구처럼 있다 가."

맥은 어이없다는 표정으로 나를 노려보더니 바람 빠진 웃음소리를 내며 각 잡힌 셔츠를 벗어 던졌다. 그는 볼품없는 흰색 민소매 속옷 차림으로 둥지 같은 닭털 더미에 풀썩 팔을 베고 누웠다. 닭털 더미가 침대라곤 했지만 저 자존심 덩어리가 진짜 바닥에서 잘 줄은 몰랐는데. 분명 다림질된 셔츠를 그대로 입고 의자에서 꾸벅꾸벅 졸기나 할 줄 알았다.

"바지는 입고 있어 줘서 고맙네."

"별말씀을."

침대와 바닥이었지만 맥과 나란히 누워 있으니 열일곱 살 때 축사에서 장맛비를 피하던 때가 떠올랐다. 사춘기를 보내고 처음으로 서로의 몸을 마주한 날. 젖은 옷을 마른 지푸라기 위에 펼쳐 놓다가 괜스레 어색해져서, 냇가에서 홀딱 벗고 수영하던 때를 떠벌렸지. 로맨틱과 거리가 먼 소들의 우렁찬 울음소리와 거친 빗소리가 두근대는 심장 소리를 가려 주어서 다행이라고 생각했었다. 그땐 깡마른 그의 점투성이 팔뚝과 어깨뼈가 어찌나 야하고 부끄럽던지.

맥도 옛 생각에 잠겨 있었던 걸까. 그는 몸을 뒤척이다가 나지막이 내 이름을 불렀다.

"……안나. 그거 알아? 아직도 철물점 할배가 마을 입구에서 슬러시 파는 거?"

나는 창가 쪽으로 향하고 있던 몸을 돌리지 않고 피식 웃으며 답했다.

"아…… 알아. 그 입안 파래지고 보라색 되고 난리 나는 거. 이 동네엔 어린애들도 없는데 어떻게 살아남았나 생각했지."

"그러니까. 바랜 개나리색 건물 아줌마도 기억나? 이젠 할머니가 다 되어선 시장 한복판에서 분홍색 솜사탕을 만들고 있더라. 진짜 웃겨. 다 늙어선 아직도 철이 안 든 건지."

맥은 언제 몸을 일으킨 건지 등 뒤에서 손을 뻗어와 내 머리칼을 만졌다. 내가 아무 말 없이 가만히 있자 허락이라도 받은 것처럼 침대 위로 스르륵 올라와 뒤에서 내 허리를 안았다. 그에게서 시골 동네와 어울리지 않는 고급 향수 냄새가 났다. 맥의 코끝이 내 목덜미에 닿았다. 샤에게선 느끼지 못했던 간질간질하고 따뜻한 살갗이 내 몸을 스쳤다. 그가 내 몸을 지분거릴 때마다 아랫배가 지끈거렸다.

"……그러고 보면 너랑 나 사이의 인연은 참 깊지. 그런 인연을 흔한 애인 사이로 정의했던 게 틀렸던 걸지도 몰라."

"이제 와서 무슨 말이 하고 싶은 거야?"

"나랑 돌아가자 안나. 우리, 가족이 돼서 다시 시작하는 거야."

"하!"

"들어 봐. 우리가 가족이 되면 되는 거였어. 고작 애인인 상태에 머무르니까 가벼운 네 작품이 놀림거리가 되는 거야. 부부가 되고 우리 사이에 아이가 생기면 네가 하는 일도 단란한 가정의 자랑이 되겠지. 우리 둘 다 행복할 수 있다고."

나른했던 배에 힘이 들어가며 절로 헛웃음이 나왔다. 너는 지금껏 나와의 관계를 어떻게 생각해 왔던 걸까. 누구보다 가까웠던 연인에서 누구보다 먼 타인으로 만들더니 이제는 가족.

"우리 관계는 끝이야 맥. 네가 이별을 고한 순간부터."

"하…… 안나. 어떤 관계든 완벽할 순 없어."

"아니. 있는 그대로를 사랑하는 완벽한 사랑은 존재해. 샤는 너처럼 소통을 빙자하며 몸을 더듬지도 않고, 존재만으로 내게 위안을 줘. 언제나 나를 불안하게 했던 너와 다르게 말이야."

"너 정말 미쳤구나."

"난 미치지 않았어."

"아니. 넌 겁쟁이처럼 도망치고 있을 뿐이야. 사람과 소통할 자신이 없으니까 지적 대화도 안 되는 생물을 사랑한다고 믿으려고 하지. 그러면 네가 좀 특별한 것처럼 느껴져?"

허리를 감싸고 있던 그의 팔을 뿌리치려 몸을 비틀었

으나 그는 되레 내 몸 위로 올라와 나를 아래에 가두었다. 무릎으로 가랑이를 치려고 하자 몸무게를 실어 내 몸을 짓눌러 왔다. 뼈와 가죽밖에 없어 보이던 그의 몸은 나보다 훌쩍 큰 키 때문인지, 그냥 남자라서인지, 아무리 벗어나려고 해도 꿈쩍도 안 했다. 나는 씩씩거리다가 이내 그의 빈정거림이 아무렇지 않은 듯 이죽거렸다.

"추억 팔이나 하다가 돌아가 맥. 난 샤를 떠날 생각 추호도 없으니까."

"추억? 아니, 난 지긋지긋해. 여길 떠나려고 얼마나 노력했는데. 그래, 네가 이곳으로 온 이유가 있구나. 미쳐서. 이 동네는 미친 노인들밖에 없잖아. 너처럼."

웬일로 나와 대화라는 걸 하나 했다. 서로의 존재만으로 순수하게 두근거렸던 어렸을 적이 떠올라서 무슨 착각을 했던 건지. 근 10년간 그와 했던 대화는 몸의 대화뿐이었는데.

"내려가. 네 가냘픈 몸으론 이제 흥분 안 되니까."

귀부터 눈가까지 새빨개진 맥은 잔뜩 찌푸린 채 나를 바라보다가 깃털이 날아다니는 바닥으로 내려갔다. 우린 서로의 반대 방향으로 누워 가슴을 진정시켰다. 씩씩거리는 서로의 숨소리가 잦아들고 빗소리만이 우리 사이를 채웠다.

빗물이 흐르는 어두컴컴한 창문엔 샤가 보이지 않았

다. 밤의 유리창은 안쪽에 있는 볼품없는 내 얼굴만을 비추고 있었다.

✦

이른 아침, 우르르 쏟아지던 빗줄기가 잦아들고 부슬비로 바뀌었다. 맥은 한숨도 못 잔 얼굴로 벗어 둔 셔츠 단추를 잠갔다. 그가 서류 가방을 손에 들었을 때 나도 얇은 카디건을 둘러 입고 챙 넓은 모자를 푹 눌러썼다. 그는 내 집 앞을 떠나기 전에 오래도록 샤를 올려보았다.

짙은 물안개가 낀 기찻길을 함께 걸었다. 맥이 앞서 밟았던 물기 어린 철로를 내가 따라 밟으며 그의 뒤를 따랐다. 비를 맞고 햇빛에 마르길 반복한 거무튀튀한 해바라기 머리들이 우리를 가만히 바라보고 있었다.

낡은 기차 정류장은 주인 모를 빈 술병이 나뒹굴고 나무판자의 퀴퀴한 내음이 풍겼다. 우린 짧은 처마 아래에 나란히 서서 옷에 고인 빗물을 털어 냈다. 맥은 뿌연 안갯속을 응시하며 내게 물었다.

"안나. 그럼 네 사랑은 줄기와 뿌리, 이파리 중에 어디에 있는 건데?"

부슬비 소리가 규칙적으로 들려왔다. 신호를 잡지 못하는 라디오의 지지직거리는 전자음처럼.

"사랑은 그런 게 아니야, 맥. 사랑은……."

그가 내 사랑을 물었을 때 내 눈앞엔 귀를 찢을 듯이 커다란 소음을 내는 고철 덩이 기차가 도착했다. 맥은 내 사랑을 물어 놓고는 답도 듣지 않은 채 기차에 올라탔다. 그는 내 대답이 궁금하지 않았고, 난 그의 질문에 흔들렸다.

젖은 철로를 홀로 걸었다. 돌아가는 길엔 앞장서는 커다란 발자국이 없었다. 언제부턴가 수시로 물안개로 자욱해지는 이 마을에서 빨간색이 아닌 샤의 커다란 손짓을 보며 우리 집을 분별했다. 저 멀리서 풍선같이 부푼 손들이 나를 반기며 어서 오라고 흔들흔들 반겼다. 나는 그런 샤를 귀여워했고, 애정했고, 사랑을…….

외출하고 집에 돌아오면 포옹을 나누는 것이 우리의 일과였는데 맥이 돌아간 오늘은 어쩐지 샤를 마주할 수 없었다. 나는 땅만 바라보며 걷다가 바로 문을 열어 집에 들어갔다. 창문의 커튼까지 닫진 않았지만 눈길을 주진 않았다. 내가 잘못한 주제에, 간밤에 바람이나 다름없는 파렴치한 짓을 샤가 보이는 곳에서 저지른 주제에 심술이 나는 건 왜일까.

집에 돌아와 닭 깃털로 엉망이 된 바닥을 정리하고 해가 질 때까지 테이블 의자에 우두커니 앉아 있었다. 몇 시간 동안 엉덩이를 들썩일 때 나는 옷자락 소리와 밖에서 나는 바람의 진동 소리, 째깍거리는 낡은 시계의 초침 소리만 귓가를 울렸다.

시간이 흘렀고 어두컴컴한 유리창 너머로는 샤가 보이지 않았다. 마치 어젯밤처럼. 나는 거울처럼 안쪽만을 비추는 창문을 응시하며 말했다.

"샤. 내가 배려가 없었어. 키스하지 않았다고 다가 아닌데. 네가 다 보고 있었을 텐데, 그러는 게 아니었는데."

분명 창문 너머엔 샤가 있다.

"샤. 내가 널 볼 때면 너도 날 보잖아, 그렇지? 넌 눈이 없어도 어두컴컴한 흙더미 속에서 하늘이 어딘 줄 알고 줄기를 뻗었잖아. 내가 인간이라서 너에 대해 이해하지 못하는 것뿐이잖아, 그치?"

샤는 아무런 대답이 없었다. 여느 때처럼, 언제나 그랬듯 고요했다. 창문 너머론 지붕에 고인 빗물이 떨어지는 소리와 바람 소리밖에 들리지 않았다.

"샤…… 샤. 듣고 있어? 내 사랑은 오직 너에게 있어. 네 사랑도 나를 향하고 있지? 넌 내게서 도망 못 가잖아. 샤, 너와 나누던 사랑을 의심하는 건 아냐. 우린 분명 연결되었고, 서로의 운명이지. 하지만 샤……. 나 좀 외로워. 외로운 것 같아, 샤.”

충동적으로 샤를 사 왔다. 거기에 샤의 의사는 없었다. 내가 외로워 멋대로 샤를 데려와 내 집 앞에 샤를 심었다. 그리고 순식간에 샤에게 빠져들었다. 언제나 묵묵히 같은 곳에 서 있는 샤. 궂은 날씨에도 악착같이 살아남아 열매를 맺는 강인한 생명력. 경이로운 널 사랑했다. 소통할 수 없는 너와 사랑에 빠졌다. 소통이 가능한 생물들은 배신하고, 넌 날 배신하지 않는다. 존재만으로 내게 위안을 준다. 그거면 됐다. 이런 게 바로 사랑 아니던가. 네가 바로 점쟁이가 말했던 내 운명이었다. 그런데 맥과 함께했던 지난밤. 창밖에서 아무 소리도 들리지 않았다. 달콤한 대화를 나누고 키스를 나누었던 내 사랑은 연인의 외도 앞에서 아무런 말이 없었다. 소리를 지르지도, 혐오의 눈빛을 보내지도 않았으며 내 팔을 잡아채 품에 가두지도 않았다. 분명 샤는 그곳에 있었는데.

창문에 비친 산발의 미친 마녀가 울고 있었다. 이상한 일이다. 사랑의 마법이 사라졌다. 비가 오듯 턱에서 물이 뚝뚝 떨어져 테이블에 웅덩이를 만들었다. 나는 여자를 향해 손을 뻗어 어깨를 감싸 안았다. 두 손에 마른 어깨뼈가 만져졌다. 아무도 품고 싶어 하지 않을 말라비틀어진 심장 모양이 검은 창문에 비쳤다.

“샤…… 네가 날 갖고 싶어서 아등바등 애썼으면 좋겠

어. 내 위에 올라탄 너의 묵직한 무게를 느끼며 잠들었으면 좋겠어, 샤.”

그때 거센 바람 소리가 울려 퍼졌다. 해 봐야 허술한 창문만 덜컹덜컹 흔들 뿐이었던 태풍 바람이 집 전체를 흔들었다. 창문의 유리가 깨지고 지붕의 한 부분이 부서지고 날아갔다. 바람이 머리칼과 닭털을 정신없이 휘날리고 눈앞을 가렸다. 쏟아져 들어오는 빗물에 놀라 허둥지둥 짐을 옮기다가 포기하고 문고리를 잡았다. 바람 때문에 문이 열리지 않았다. 몸을 제대로 가눌 수 없었다. 휘청거리다가 뒤로 발라당 넘어져 누웠을 때 지금껏 들어 보지 못했던 거대한 소리가 귓가를 파고들었다.

우지끈.

두껍고 굳센 줄기가 부서지는 소리. 그리고 수많은 나뭇잎들이 철썩거리며 부딪히는 소리. 누워서 바라보는 지붕에 무너진 가지들이 박히며 천장에 금이 갔다. 샤가 내 눈앞으로 쏟아져 내렸다.

하늘이 무너져 내렸다.

기복祈福

비좁은 지구에서 만족할 수 없어진 인간들은 우주와 가상의 땅을 개척했어. 우주의 땅은 소수의 사람만 밟을 수 있었지만 헬멧 속 가상 공간은 대부분이 가질 수 있었단다. 그래, 네가 있는 이곳 말이야. 모두가 우주를 선망하고 헬멧 속에서 시간을 보낼수록 지구는 낡아 갔어. 그러니 더더욱 새로운 땅을 포기할 수 없지 않았겠어? 욕심 많은 인간들은 멈출 생각이 없었고, 하늘과 땅은 썩고 악취가 났지. 그래서였을까. 인간이 만든 것들이 녹슬고, 뭉개지고, 부스러지는 천벌이 내려졌거든.

초등학교 운동장에서 발발 움직이면서 잔디를 깎던 코커 스패니얼 로봇부터, 아파트 단지 앞에 세워져 있던 공기 청정 떡갈나무까지. 자연물을 대체하던 로봇들이

차례차례 고장 나더니 이내 네모난 컴퓨터와 핸드폰, 날이 슨 칼 따위까지 녹슬었어. 하늘에서 먼지와 비와 눈이 한데 뭉쳐 내릴 땐 건물의 철근마저 부식되어 무너졌고, 지상이 물이끼와 얼음 덩어리들로 뒤덮였을 무렵엔 수많은 사람들이 죽었지. 루이, 자연은 말이야, 인간에게 대처할 시간을 주지 않더라. 아, 상류층 놈들은 우주선마저 고철 덩이가 되기 전에 서둘러 우주로 날아가긴 했네. 무사히 우주 도시에 도착했는지는 나도 몰라. 신기한 건 인간들이 죽거나 떠나면서 지구를 비우니까, 짐승이나 곤충, 식물 따위가 도시 곳곳으로 쏟아져 들어오더라는 거야. 꼭 우리 속에 갇혀 있던 만물이 문을 여는 법을 터득해서 우루루 탈출한 것처럼.

정글 같은 지구에 낙오된 우리에게 남은 건 옷가지 몇 벌과 나무를 깎아 만든 작살, 식기 정도였어. 우리는 그것만으로 안식처를 지킬 순 없었지만 살아남을 수 있었고, 어떻게든 살아가고 있지. 폐허 속에서도 악착같이, 엉망진창으로. 난 아직도 궁금해. 잘 좀 살아 보려다가 죄다 꼬이고 망할 줄 알았다면, 사람들은 잘못된 노력을 그만뒀을까?

내 정신 좀 봐. 네가 바깥은 어떠냐고 질문 같은 걸 하니까 괜히 센치해지잖아. 난 잘 살 일만 남았는데…….

✦

이름은 최선아. 좌우명은 이름처럼 최선을 다해 살자. 젊은 날을 바쳐 최선을 다해 살았고, 서른을 넘기기 전에 결혼해야 한다는 주변의 성화에 스물아홉 살, 최고의 남자와 결혼하는 날이었다.

"언니, 팔 좀 제대로 들어 올려 봐."

"어우, 팔 아파. 빨리 좀 해 봐."

선희가 귀한 표백제로 공들여 새하얗게 만든 이불보를 내 가슴에 빙빙 두르며 옷 끝자락을 집게로 고정시켰다. 동생은 팔만 들고 있으면 되는데 뭘 그리 꿈틀대냐며 투덜거렸지만 이 언니는 얼굴에 얹어 놓은 뽀얀 밀가루 분 때문에 코가 간지러워서 도저히 가만히 있을 수가 없었다. 준비를 마친 나는 머리에 두른 하늘하늘한 잔꽃무늬 스카프를 손으로 들추고 1학년 교실을 나섰다.

질질 끌리는 이불보 끝자락을 잡은 선희를 뒤로하고 식이 열리는 강당으로 향했다. 무심한 하늘도 결혼식은 축복해 주는지 날이 맑았다. 과하도록 쨍한 여름 볕이 곱게 가르마를 탄 정수리와 훤히 드러난 어깨에 내리쬈다. 거치적거리는 이불보 드레스를 발로 차면서 삐죽삐죽 잡스러운 풀들이 잔뜩 난 깨진 벽돌길을 걷는 일은 여간 어려운 일이 아니었다.

새삼 내가 결혼을 한다니, 매일같이 보던 풍경이 생경했다. 식장은 책을 들고 있는 소녀 동상이 페이지를 모두 넘기는 날 세상이 멸망한다는 흔한 괴담이 있는 초등학교. 모가지가 댕강 부러진 청동 장군상이 입구를 지키고 있는 곳이었다. 흔치 않게 펫숍이 성행했던 지역인 만큼 유독 이곳, 23구역은 애견거리에서 탈출한 들개라든지 삵이나 다름없어진 고양이가 많았는데, 결혼식이 열린다고 노인들이 급식실에서 고깃국을 끓여서인지 온갖 녀석들이 침을 흘리며 주변을 어슬렁거렸다. 13년 전에도 멋드러진 학교는 아니었지만 사람 키만 한 식물과 야생 동물이 어우러지니 스산한 귀신의 집이 따로 없었다.

강당 뒷문으로 향하자 힘 빠진 노인네가 녹이 슨 문고리를 잡은 채 기다리고 있었다. 그는 가까이 다가오는 나와 선희를 보고는 이제 더는 외칠 일이 없을지도 모를 멘트를 머리에 되새기듯 중얼거렸다.

"신부 입장, 신부 입장, 신부 입장……."

나는 나무 거스러미가 잔뜩 난 문 뒤에 섰다. 내가 심호흡하는 것을 보던 선희는 제 얼굴보다 큰 해바라기 한 송이를 내 손에 쥐여 쥐며 훌쩍였다.

"왜 울어."

"몰라. 그냥 눈물이 나."

"선희야—."

허리 굽은 노인네가 배에 잔뜩 바람을 넣더니 쩌렁쩌렁한 목소리로 외쳤다.

"신부—! 입장!"

동생과 대화를 할 틈도 없이 나무 문이 벌컥 열렸다. 그러자 신부를 기다리던 23구역 마흔일곱 명의 하객들이 일제히 성악가처럼 가슴을 부풀리며 소리를 뱉었다.

빰— 빠라밤—.

인원의 절반은 리듬에 맞추어 발을 쿵쿵 굴렀다. 모두가 어디선가 주워 온 구두를 신고 있었다. 나무판자로 보수한 돔형 강당에 메아리가 울려 퍼졌다. 나머지 절반은 끊임없이 손뼉을 쳤다. 그중 두셋 정도는 손과 입으로 휘파람을 불며 음악이 단조롭지 않게 했다. 결혼식을 축복하기 위해 모인 23구역의 모두가 몸을 악기 삼아 신부의 입장을 알렸다. 선희는 그 풍경을 멍하니 바라보다가 서둘러 눈물을 닦고는 내 뒤에서 드레스 끝자락을 들어 올렸다. 나는 그런 선희를 배시시 웃으며 바라보다가 천천히 걸음을 옮겼다.

드레스 앞자락을 걷어 올리며 단상의 계단을 올랐다. 모두가 나만을 바라보고 있다고 생각하니 우아한 행색답지 않게 절로 걸음이 힘차졌다. 당찬 행진 끝에 단상의 가운데에 섰다. 차마 보수하지 못한 천장 틈새로 눈을 뜨기 힘들 정도로 강렬한 햇볕이 스포트라이트처럼 단상 위를 비췄다. 햇빛 줄기 주변으로 자욱한 먼지가 박수갈채와 함께 꽃가루처럼 휘날렸다. 그 사이에 내 남편, 문석하가 있었다. 석하가 눈앞에 드리웠던 스카프를 들어 올렸다. 그는 굳은살 박인 손으로 내 꺼칠한 손을 잡아 약지에 금색 철사 반지를 끼웠다. 그러자 앞에서 연신 기침을 하던 23구역의 리더가 가래가 낀 칼칼한 목소리로 외쳤다.

"오늘로써 신랑 문석하와 신부 최선아는 부부로서 영원히 함께합니다!"

석하가 커다란 손으로 내 허리를 감싸며 키스했다. 그의 입술에선 아리송하게도 구수하고 알싸한 메탄올 향이 났다. 먼지인 줄 알았던 눈송이가 한여름 습기와 함께 천천히, 우리들의 머리 위에 내리며 결혼식을 축복했다. 그렇게 23구역에 남은 마지막 청년과 처녀가 결혼했다.

✦

"……이게 뭐야?"

"뭐긴요? 사과죠."

얼룩덜룩한 무늬의 허름한 군복을 입은 석하는 매서

운 눈빛으로 나를 쏘아보며 말했다.

"내가 사냥 나가기 전엔 무조건 옥수수 수프라고 했잖아. 내 징크스라고."

"언제는 한 끼 정도는 사과 하나로 때우라면서요."

"그건 당신한테 한 말이지, 누가 내 끼니를 이렇게 때우랬나. 하여튼……."

석하는 네모난 고글을 고쳐 쓰곤 사과를 거칠게 잡아챘다. 그 탓에 석하의 넷째 손가락에 끼워져 있던 뾰족한 철사 반지가 내 손바닥을 그으며 생채기를 냈다. "아!" 하는 아픈 티를 냈는데도 그는 쯧쯧 한심하다는 눈초리를 보내며 매몰차게 문을 쾅 닫고 나가 버렸다. 손바닥에서 피가 배어 나왔다.

"짜증 나."

약지에 끼워진 철사 반지를 빼서 바닥에 던져 버렸다. 끼고 있어 봐야 피부만 울긋불긋해지지. 새벽같이 일어나 마중하는데 꼭 퉁명스럽게 일그러진 얼굴로 나가야 하나. 씩씩거리며 식탁 의자에 앉아 있다가 먼지 묻은 반지를 주워 손가락에 끼웠다.

"그래, 한 끼 사과 정도는 좋다 이거야."

23구역의 여자들이라면 한 번쯤은 내 자리를 탐냈을 거다. 석하는 비록 멸시받던 지하 회색 도시 출신이었지만, 세상이 멸망하곤 되레 기계에 의존하지 않는 생존력으로 23구역을 휘어잡았다. 운도 타고났는지 폭탄같이 쏟아지던 장맛비에 회색 도시가 잠기던 날, 그는 평생 모은 돈으로 헬멧을 사러 지상에 나왔다가 홀로 생존했다. 행동거지가 거칠고 오만한 건 요즘 세상에 흠이 아닌 장점이었고, 그의 옆자리를 쟁취한 건 바로 나였다. 미혼이던 석하는 마지막 처녀인 나를 마다하지 않고 식을 올렸다.

내 결혼식은 성대했고, 모두가 오랜만에 열린 잔치를 반겼다. 늙은 리더는 혼례와 장례, 제사까지 일부러라도 이유를 덧붙여 가며 생존자들을 모으곤 했는데, 행사가 있던 날만큼은 세상에 희망이 남아 있는 것만 같았고, 우리는 낙오자나 생존자가 아니라 13년 전과 같은 평범한 주민이 된 것만 같았다.

나는 석하와의 결혼으로 윤택하고 인간다운 생활이 보장되었다는 생각에 들떠 있었다. 역시 최선아! 세상이 망해도 최선을 다하는 사람은 어떻게든 잘 풀리게 되어 있다. 고생과 노력은 언제나 보상받기 마련이니까. 나는 아주 사람답게 살 작정이었다. 비로소 초등학교 교실 하나에 다섯 명씩 이불을 깔고 자는 생활을 졸업하는 거다! 나는 믿음직한 석하의 곁에서 안전을 보장받고 다음 리더가 될 그의 집에 들어가 허니문을 즐기면 되는 일이었다.

23구역의 사람들은 기울거나 무너지지 않은 건물에서 옹기종기 모여 살았다. 그래 봐야 재난에서 살아남은 건물은 아이들의 건강을 생각한다며 친환경 자재로 지은 초등학교와 스쿨존으로 불리던 노란 건물 두 채뿐이었는데, 그중 하나는 늙은 리더가, 또 하나는 석하의 차지였다. 석하의 집은 흙과 나무로 지지대를 만든 작은 단층 건물이었다. 흙을 덕지덕지 발라 보수한 빛바랜 건물이었지만 그 역시 안전하겠다는 생각에 고개를 끄덕였다.

그리고 남편과 지낸 지 2주. 그간 알게 된 거라곤 석하, 아니 우리 집엔 멀쩡하고 깨끗한 거라곤 단 하나도 없다는 것이었다. 원래 인쇄 노동자들이 사용하던 곳이라더니, 건물에는 내 몸뚱이를 세 개는 붙여 놓은 것 같은 크기의 거대한 인쇄기와 외계인 머리같이 생긴 고물 선풍기, 젖고 구부러진 종이 쪼가리들 따위가 널브러져 있었다. 원래도 최첨단 시설이 도입된 지역은 아니었지만 설마 골판지 집이 진짜 있었을 줄이야. 덕분에 지금껏 살아남은 것을 보면 이 집 또한 참으로 운이 좋다.

석하가 사냥을 나가는 날에는 텅 빈 집을 하염없이 지켰다. 보통 집 안까지 침범하는 덩굴 식물들을 쳐 내거나 부스럭대는 쥐 새끼와 바퀴 새끼들을 잡으며 시간을 보내는데, 가끔은 석하가 나와 결혼한 것이 청소 로봇이 필요해서였나 싶다. 뭐, 그러라지. 나도 사냥 로봇이나 얻었다고 생각하면 그만이니까.

아침부터 짜증 나게 하던 석하는 밖이 어두워지기 전에 돌아왔다. 오자마자 끈적끈적한 짐승 피가 묻은 장갑을 벗어 던지며 맥주를 찾았다. 남자들은 잔칫날마다 옥수수로 우린 차를 맥주라고 부르며 취한 행세를 하곤 했는데, 일을 마치고 돌아와 가짜 맥주를 찾는 걸 보면 꽤 귀여운 구석도 있네 싶었다. 나는 그의 소꿉놀이에 맞춰주며 누런 물을 담아 둔 유리병을 건네주었다. 그는 바닥에 앉아 달달한 맛이 나는 나무 조각을 안주 삼아 질겅거리며 누런 물을 홀짝였다. 그가 내게도 맥주를 권했지만 냄새가 고약해서 거절했다. 나는 그저 그의 앞에 앉아 그의 영웅담을 듣고 있었다.

그런데 웬걸, 갈수록 그의 몸에서 알싸한 알코올 향이 풍겼다. 쭉 찢어진 눈은 한껏 흐물흐물하게 풀려서 앞에 있는 나를 바라보고 있는 건지 아닌 건지도 알 수 없었다. 그는 갑자기 내 팔목을 거칠게 잡으며 바닥에 가두었다. 진짜 술을 마신 것 같은 모양새에 당황했지만 솔직히 드디어 허니문다운 첫날밤을 갖는 건가 싶어 가슴이 두근거렸다. 옷을 벗어 던지는 석하의 근육질 몸은 꽤나 섹시했으니까. 나도 따라서 옷을 벗고 있었는데 그가 뭉그러진 발음으로 이상한 이름을 불렀다.

"존."

괴상한 서양식 이름을 중얼거리던 그는 갑자기 내 긴 머리칼을 생소한 듯 만지작거리더니 눈을 껌뻑였다. 그러다 물을 털어 내는 개처럼 머리칼을 푸덕거리곤 벌떡 일어나서 인쇄기 위에 고이 놓여 있던 헬멧을 알몸인 채로 머리에 뒤집어쓰고는 그대로 잠들었다.

나는 우두커니 서서 우스꽝스러운 그의 모습을 한참 동안 바라보았다. 인쇄기 위에 누워 있는 그를 보니 헬멧이 왕관 같기도 하고, 신에게 바쳐진 제물 같기도 했다. 이왕이면 저 녹슨 기계 덩어리가 소원을 들어주는 함이나 타임머신 같은 것이었다면. 그래서 저 무례한 남편을 동아줄 삼을 필요 없는 세상으로 떠날 수만 있다면.

나는 다시 옷을 주워 입고 그의 옆에 누웠다. 나체에 헬멧을 쓴 그는 홀로 평화로웠고, 옷을 입고 머리를 벌거벗은 내 귀엔 쥐 새끼들이 뛰어다니는 소리가 선명하게 들려왔다.

석하가 또 사냥을 나간 날, 집에 놀러 온 선희는 내 일화를 듣더니 동그란 눈을 이리저리 굴리며 당황스러운 기색을 보였지만 역시 최고의 남자라며 석하를 치켜세웠다.

"최고네. 요즘 세상에 그런 남자 찾아보기 쉽지 않잖아."

"마음에도 없는 말 하지 마, 선희야."

"아니, 진심인데! 안 그래도 석하 씨가 좀 독선적이라 걱정했는데, 언니가 여러모로…… 착취를 당할 일은 없다는 것 아냐."

"남편이 헬멧 속에 있는 서양인 남자한테만 발기하는 고자인데?"

"에이, 그럼 고자는 아니지……."

그래, 거친 행동거지에 생채기가 나거나 손목에 멍이 들지언정 배를 곯을 일은 없겠지. 차기 리더로 불리는 만큼 저녁마다 커다란 고깃덩어리를 턱턱 가져올 테니 말이다. 그런데 나는 고작 이런 삶을 위해 최선을 다해 살아왔나?

선희는 축 처진 내 어깨를 푸근한 가슴에 가두며 나지막이 말했다.

"뭐든 만족할 만큼 갖고 있는 사람이 지금 세상에 어딨겠어. 다들 이렇게 사는 거지. 언니도 헬멧이 있었다면 좋았을 텐데……."

나는 선희의 위로에 이상하게도 가슴이 납덩어리처럼 차갑고 무거워졌다.

✦

동이 트기 시작하는 어스름한 새벽녘. 새벽의 도시는 뼈와 문명을 묻은 묘지라고 하기엔 지나치게 아름다웠다. 무너진 회색빛의 빌딩에 녹색이 덧씌워진 모습은 아이러니하게도 지금껏 봐 온 어떤 숲보다도 신비로웠다. 그래 봐야 폐허일 뿐이지만…….

시도 때도 없이 내리는 폭우로 생긴 가느다란 물줄기를 따라 걸었다. 줄기에서 뻗어 나온 작은 물웅덩이들은 각자 주인이 있는 듯 일정한 간격을 두고 고라니와 토끼가 평화로이 물을 마셨다. 인간 한 명은 더 이상 위협이 아닌 듯 그들은 슬쩍 귀를 펄럭이는 것 외엔 눈길조차 주지 않았다. 예의라곤 찾아볼 수 없는 짐승들 같으니라고.

축축한 진흙에 줄지어 파묻힌 브랜드 모를 차 보닛 위를 차례차례 밟다 보면 초록 식물들이 건물 기둥들을 지탱해 만든 거대한 동굴이 나타났다. 그곳엔 어디선가 떠내려온 전차 하나가 덩그러니 놓여 있는데, 그 안이 훗날 내가 묻힐 장소였다. 23구역에는 생존자 마흔일곱 명의 마흔일곱 개의 묘지가 마련되어 있었다.

제구실을 못 하는 고철 속에 들어가면 내벽에 엉겨 있는 담쟁이 풀들 사이에서 손바닥만 한 날개 달린 곤충들이 푸다닥 날아간다. 바닥에 벌렁 드러누워 전차 안쪽을 보면 과거의 흔적이 가득하다. 빛바래고 찢어진 '돈 받아다 드립니다' 명함, 치켜세운 엄지만 남은 취업률 90퍼센트 사이버 대학교 광고 전단지, 누군가의 가방에 달려 있었을 입술이 두꺼운 고릴라 인형 열쇠고리. 그곳에 누워 징그럽게 사람이 버글대던 아침 여덟 시의 러시아워를 떠올리곤 했다. 스마트 워치만 멍하니 바라보고 있는 어른들 사이에서 백팩을 앞으로 메고 발끝으로 버티던 기억 조각을 더듬었다. 덜컹거리는 전차의 이음새 소리와 이어폰에서 흘러나오는 뉴에이지 음악. 천국은 부디 이 전차가 다니던 과거이기를.

한창 상상에 빠져 있는데 축축하고 끈적이는 살 덩어리가 옆얼굴을 핥아 올렸다. 화들짝 놀라 눈을 떠 보니 기린의 길쭉한 머리가 깨진 전차 창문을 통해 비집고 들어와 있었다. 검고 긴 혓바닥이 신기한 생물체를 관찰하듯 내 머리를 쿡쿡 찔러 댔다. 녀석은 내가 반응을 보이지 않자 재미없다는 듯 자신의 짝과 함께 긴 다리를 내딛으며 길을 떠났다. 침으로 축축해진 뺨을 손으로 닦아 내며 몸을 일으켰다.

"그래, 니들이 보기에도 심심하기 짝이 없지? 저기서 무시당하고, 여기서 무시당하고……."

이름값도 못 하는 한심한 최선아. 못자리나 닦아 놓는

게 최선을 다해 사는 거냐.

해가 올라올 즈음 비가 내리기 시작했다. 강물이 불어나기 전에 돌아가야 했다. 온 길을 그대로 따라가며 미끄러워진 보닛을 뛰어넘는데, 흘러넘친 물줄기 위로 동그란 덩어리 하나가 둥실둥실 내 쪽으로 떠내려왔다. 처음엔 사람의 두개골인 줄 알고 흠칫 놀랐으나 가까이 다가왔을 때 보니 평범한 헬멧이었다. 빠르게 불어나는 물 위로 멀어지는 그것을 눈으로 좇았다.

그 헬멧이 자그마한 탁구공 크기가 될 때까지 바라만 보는데 어쩐지 찾아온 기회를 놓쳐 버리는 것 같은 조급함이 들었다. 나는 분명 보닛 위에서 자꾸만 주르륵 미끄러지는 발에 힘을 주고 있었는데 정신을 차렸을 땐 어느새 신발까지 벗어 던지고 물속에 첨벙 뛰어들어 있었다. 아직까진 바닥에 발이 닿았다.

그래, 최선아. 이런 게 최선아지!

나는 팔과 다리를 있는 힘껏 휘적이며 헬멧을 향해 물을 갈랐다. 둥그런 그것은 물살에 두둥실 떠오르고 구르고 멀어만 졌지만 난 포기하지 않고 그것을 향해 손을 뻗었다. 숨이 점차 가파 오고 바닥에 있던 유리 조각을 밟았는지 발바닥이 쓰라리고 따가웠지만 여느 때보다 살아 있다는 기분이 들었다.

둥그런 그것은 운이 좋게도 뒤늦게 찾아오는 나를 기

다리고 있었던 것처럼 트럭의 범퍼에 걸려 있었고, 내 품에 들어왔다. 앞이 보이지 않게 사방이 막혀 있는 그 헬멧은 선희와 석하, 그리고 23구역 주민들 모두가 가지고 있던 헬멧과 같았다.

흙먼지와 빗물로 축축해진 나일론 재킷을 벗어 의자에 걸쳐 두고 집 안을 살피자 사냥을 나가지 않은 석하가 인쇄기 위에서 헬멧을 쓰고 누워 있었다. 나는 그에게 가까이 다가가 헬멧을 쓰고 있는 모양새를 살폈다. 그러곤 그의 옆에 나란히 누워 녹색 이끼가 잔뜩 낀 헬멧을 머리에 끼워 넣었다.

✦

타인과 네트워크 연결도 되지 않는 가상 현실 헤드기어. 헬멧을 뒤집어쓰고 잠들면 제작자가 만든 꿈에 떨어져서 시간을 보낼 뿐이었지만, 아무도 모르는 자각몽을 꿀 수 있다는 것만으로 큰 인기를 끌었다. 헬멧 말고는 다른 부품도 필요 없어 간편할 뿐만 아니라, 따로 에너지가 필요하지도 않아 환경 면에서도 획기적이라며 이슈였던 장난감이었다. 언제부턴가 어른들은 비싸고 구하기 힘들지언정 헬멧을 꼭 하나씩 장만했고, 아이들이 사춘기에 접어들면 무리해서라도 헬멧을 손에 쥐여 줬다. 그것은 게임기라고 불렸지만 다른 게임기처럼 남들과 공유하지 않았다. 과거의 핸드폰이 그랬듯 암묵적인 프라이버시가 있었고, 소유자가 죽어야 비로소 타인에게 양도된다는 말이 돌 정도로 헬멧은 오로지 한 명만을 위한 값비싼 재산이자 제2의 세계였다.

하지만 난 열여섯 살에 학교에서 지원해 준 첫 번째 헬멧을 한 번도 쓰지 않았다. 나는 구제 불능처럼 헬멧을 쓰고 열여섯 시간씩 잠만 자는 애들과 달랐다. 꿈을 정복했니, 에너지 혁명이니 해도 결국은 허구의 소꿉놀이 아닌가? 가끔 인터넷에 떠도는 '세상이 내일 멸망하면 헬멧 안에서 죽을 거야, 아님 벗고 죽을 거야?'라는 뻔한 글을 보며 시간을 보낼 때도 있었지만 나는 충분히 모범적이고 건전하게 지냈다. 지금 생각해 보면 아날로그를 고수하는 것이 건전한 삶과 무슨 상관인지는 모르겠지만, 어릴 적부터 할머니 손에 자란 탓에 헬멧이 꺼림직하게 느껴졌던 것 같기도 하다.

할머니는 항상 발전되어 가는 도시를 싫어했다. 부러 불편한 방식으로 동생 선희와 나를 키우면서 요즘 세상에 먹여 살려야 할 입이 둘인 집이 어딨냐면서 투덜거렸다. 나는 선희가 눈치 없이 빽 하고 울어 댈 때면 할머니 몰래 학교에서 받은 내 헬멧을 씌웠다. 그러면 선희는 바로 울음을 그쳤고 종일 가만히 헬멧 속에서 보냈다.

어린 선희는 내 것이었을 헬멧 속에서 어떤 꿈을 꾸었기에 방긋방긋 웃었을까. 지구가 멸망한 지금은 어떤 위안을 받고 있는 걸까. 과거에 복지로 받았던 헬멧은 사실 지금을 위한 것이 아니었을까. 나는 때때로 그것이 궁금했다.

✦

정신이 들었을 때 처음 느낀 것은 미친 듯한 더위였다. 습하진 않았다. 입고 있는 면 티셔츠와 바지는 푸석하게 바싹 마른 수건 같은 감촉이었다. 입안은 텁텁함으로 가득해서 혀 돌기가 모래알처럼 느껴졌다. 물기를 만들어 내려 입을 쩝쩝거리다가 이내 눈꺼풀을 들었다. 볼에 거칠함이 느껴져서 신음과 함께 눈을 떴더니 돌의 표면 같은 게 보였다. 눈알을 굴려 가며 주변을 살피는데 내 팔다리가 흰색 돌계단 밖으로 삐져나가서 종잇장처럼 늘어져 있었다. 나는 두둥실 떠 있는 커다란 돌덩이 위에 걸쳐져 있었다. 주변은 산 정상 근처처럼 짙은 안개로 뒤덮여 있었다.

급하게 벌떡 일어났더니 발과 발이 꼬여 뒤로 고꾸라졌다. 한 차례 날갯죽지가 아래쪽 계단에 세게 부딪혔다. 눈앞에 펼쳐진 허공에 식겁하여 죽기 살기로 돌덩이를 붙잡았다. 비명을 지를 새도 없이 바위 끝자락에 대롱대롱 매달린 꼴이 된 나는 클라이밍 선수처럼 몸의 반동을 이용해서 다시 돌계단 위로 올라왔다. 그러곤 몸을 낮춰 계단에 찰싹 붙이곤 크게 숨을 골랐다. 아득한 높이에서 정신머리가 돌아왔을 때 눈에 들어온 건 가차 없이 뒤집힌 내 손톱이었다.

"으아아아악! 내 손톱!"

끔찍하게 분리된 몸의 일부를 붙들고 괴성을 질러 댔다. 그런데 이상하게도 그 끔찍함에서 아픔이 느껴지지 않았다. 조심스레 실눈을 뜨고 다시 손바닥을 펴서 바라본 손톱은 어느샌가 손끝에 얌전히 안착해 있었다. 모든 게 어찌 된 일인지 알 수가 없었다.

괜히 멀쩡한 손톱을 풀로 붙이듯 꾹꾹 누르다가 고개를 번쩍 들어 주변을 둘러보았다. 허공에 떠 있는 흰색 돌계단들. 나는 바닥도 끝도 보이지 않은 '허허 공중' 가운데에 엎드려 있었다. 등줄기에 땀이 줄줄 흐르는데 긴장 때문인지 스산함이 느껴지는 백색의 공간 때문인지 알 수 없었다.

"환상의 꿈속 세계라며, 씨이발……."

헬멧이 갓 나왔을 때 여기저기 붙어 있었던 캐치프레이즈를 원망하듯 중얼거렸다. 주인 모를 헬멧을 쓰는 게 아니었다. 분명 원래 주인도 거지 같은 꿈이라며 이 헬멧을 버린 게 분명했다. 생각해 보니 나는 어떻게 헬멧에서 나갈 수 있는지도 몰랐다. 울음을 삼키며 당연히 올라야 할 것만 같은 계단 위쪽을 올려다봤다. 구름처럼 자욱한 안개와 가득히 고인 눈물 때문에 눈앞이 흐렸지만 서른 계단 정도 위에 건물같이 보이는 무언가가 계단과 이어져 있었다.

여전히 돌계단에 거머리처럼 찰딱 달라붙은 채로 부딪혔던 날갯죽지를 더듬었다. 아무런 상처도 통증도 없었다. 다시금 용기를 내서 상체를 천천히 들어 올렸다. 갓 태어난 네 발 동물처럼 팔다리를 부들부들 떨면서 계단을 기어올랐다. 눈물범벅이 되어 30계단을 올라서야 안심하고 두 발로 일어날 수 있었다.

계단과 이어진 직육면체의 건물 문 앞에 서서 조심스레 노크했다.

똑똑.

안쪽에서 같은 소리가 났다.

똑똑.

안에 있는 것은 문을 열어 주기는커녕 장난치듯 노크만 따라 했다. 분명 헬멧은 타인과 네트워킹이 안 된다고 했으니 건너편의 무언가는 사람이 아닐 터였다. 문 앞에 서서 한참을 고민하다가 일단 건물 안으로 들어가야 한다는 생각으로 문고리를 잡았다. 그랬더니 허무하도록 작은 힘에 문이 밀렸다. 몸이 안쪽으로 떠밀리더니 등 뒤로 문이 닫혔다. 백색 직육면체에 불과했던 외벽과 달리 안쪽은 과거의 가정 주택 같은 모습이었다. 높은 천장과 샹들리에, 벽에 걸려 있는 예술 작품들은 고급스럽기 짝이 없었지만 투박한 꽃무늬 벽지와 촌스러운 청록색 커튼이 전문가의 손길이 아닌 평범한 누군가의 취향이 반영된 집이라는 걸 보여 줬다. 그리고 한가운데에 웃으며 서 있는 한 남자. 안에서 들려오던 노크 소리의 범인이었다.

남자는 실오라기도 걸치지 않은 채 곧게 서 있었다. 그의 몸엔 관절마다 뿌연 안개로 덧씌워진 것 같은 경계가 있었는데, 꼭 부위별로 풀칠해 둔 인형 같았다. 근육 없이 길쭉길쭉한 팔다리, 단정하고 새하얀 손톱, 뚜렷한 쇄골, 얼굴은…… 중학생 시절 짝사랑했던 오빠를 닮았지만 묘하게 흐리멍덩한 인상이었다. 나는 한눈에 이 남자가 내 호감에 맞추어 만들어진 허상임을 알았다. 나는 가까이 다가가 남자의 손을 잡았다. 여섯 개의 손가락이 움직임에 맞추어 깍지를 끼듯 내 손을 옭아맸다. 물렁하지도 단단하지도 않은 실리콘 같은 살갗이 서늘하게 느껴졌다.

"존."

남편은 이런 걸 보고 욕정하는구나. 요즘 보기 드문 상처 없이 뽀얗고 부드러운 살결. 남편이 부르던 이름을 나지막이 부르자 AI 스피커 같은 음성이 들려왔다.

"이름을 존, 으로 하시겠습니까?"

나는 갑작스럽게 말을 건네 온 남자에 당황해서 뒷걸음질 치다가 당장 궁금한 것을 물었다.

"이름은 나중에 정하고, 여기서 어떻게 나가면 돼?"

"헉!"

눈앞이 컴컴했다. 손을 얼굴에 턱 갖다 대니 둥근 덩어리가 만져졌다. 몸을 버둥거리다가 겨우 헬멧을 벗어 던지고 땀에 전 머리를 쓸어 올렸다. 방이 어두웠다. 설마 하루가 지났나 싶었는데 옆에는 헬멧을 쓴 석하가 얌전히 누워 있고 의자에 걸쳐 둔 나일론 재킷에선 여전히 물이 뚝뚝 떨어지고 있었다. 밖은 하늘에 구멍이 뚫린 것처럼 비가 내리고 있었다. 집 안은 헬멧 안과 달리 물속에 있는 것처럼 습했다. 잠을 잔 것치곤 몸이 땅으로 꺼질 듯이 피곤했다. 분명 꿈속의 남자가 창문 밖으로 대뜸 내 등을 떠민 탓이었다. 괜스레 멀쩡한 목을 이리저리 만져 댔다. 이건 환상의 세계가 아니라 죽음 체험 헬멧 아닌가.

정오쯤 변덕스럽게 비가 그치고 해가 밝자 석하는 23구역의 남자들과 모여 사냥을 나갔다. 나는 식탁에 놓인 노란 옥수수 찌꺼기가 들러붙은 그릇을 닦았다. 멍하니 헬멧에서 보고 만졌던 것들을 되짚어 보는데 집에 선희가 놀러 왔다. 선희는 내가 내어 준 토마토를 베어 물며 헬멧에 대한 이야길 들었다.

"구현력 쓰레기네."

"역시 그런 거야?"

"손가락이 여섯 개였다며. 그럼 초창기 구형 헬멧이야."

나는 새로운 걸 배우는 학생처럼 고개를 끄덕였다. 선희는 헬멧을 쓰고 시간을 보내는 걸 한심하게 여기던 언니가 대뜸 먼지투성이 헬멧을 들고 와서는 이것저것 물으니 괜히 어깨가 으쓱해진 듯했다.

"언니가 헬멧에 관심 없는 건 알았지만 이렇게 아무것도 모를 줄은 몰랐네."

"말했잖아. 어렸을 때 받자마자 너한테 줘 버리고 한 번도 안 써 봤다고."

"하긴. 그러고 세상이 이 꼴 났으니 그럴 만도 하네. 근데 왜 갑자기 헬멧을 쓸 생각을 했대?"

"아니 그냥…… 귀한 걸 주웠는데 아깝잖아. 다 있는데 나만 없기도 하고."

"하긴. 인간들은 죄다 죽었는데 헬멧은 구하기 힘들단 말이지. 다른 구역엔 헬멧만 수집하는 놈들도 있다더라. 막 스무 개, 서른 개씩 늘어놓고 꿈만 꾸면서 산대."

"아니, 그럴 거면 뭐 하러 산대? 죽어서 영원히 꿈만 꾸지."

선희는 질린다는 표정으로 고개를 절레절레 흔들며 다섯 개째 토마토를 집어 들었다. 나는 선희의 눈치를 보다가 물었다.

"넌 헬멧 안에서 뭘 해?"

선희는 순식간에 표정을 굳히더니 가자미눈을 뜨고 째려보았다.

"그건 프라이버시라니까."

"내 얘긴 다 들어 놓고?"

"언니가 멋대로 떠벌린 거지 뭐. 언니도 이제 다른 사람한테 헬멧 안에서 있었던 일은 얘기하지도 말고 묻지도 마. 그게 매너야."

"애지중지 살리고 키워 놨더니 비밀이나 만들고, 쪼잔하기는. 네 헬멧도 원래는 내 거야!"

선희는 의기소침해진 내 눈치를 슬쩍 보는 듯하더니만 마지막 토마토를 집어서 입에 넣었다. 어렸을 땐 이러면 못 이기는 척 다 말해 주더니 헬멧에 대한 건 곧 죽어도 입을 다물었다. 선희도 나처럼 남편이 있으면서도 열두 시간 이상 헬멧에서 시간을 보내는 걸 보면 석하처럼 헬멧 속 가상 인간과 유사 연애를 하고 있는지도 모른다.

선희는 빈 접시를 보며 아쉬운 듯 쩝쩝대더니 말했다.

"그런데…… 뭐 좋은 일은 없었어?"

"좋은 일?"

"왜, 기억 안 나? 할머니가 그랬잖아. 우리 외가는 신기가 있다고. 그래서 그런지 난 헬멧만 쓰고 일어났다 하면 운수가 좋더라고. 떨어져서 죽는 꿈은 길몽이라잖아."

"에이…… 그러면 헬멧만 썼다가 벗으면 매번 좋은 일 있게?"

"진짜야! 내가 꾼 길몽 덕에 분명 언니도 덕을 본 게 있을걸?"

내가 아직 어린애라며 코웃음을 치자 선희는 얼굴이 토마토가 되어 괜히 알려 줬다며 씩씩거렸다.

해가 지고 집에 돌아온 석하는 흙먼지로 엉망인 꼴이었지만 표정만큼은 여느 때보다 밝았다. 나는 그가 그렇게 크게 웃을 수 있는 사람인지 몰랐다.

"내가 말이야! 집채만 한 사자를 석궁 세 발로 꿰뚫었다고! 23구역 주변을 뱅뱅 돌면서 사람 가지고 놀던 그

녀석을 드디어 잡았다고! 자자, 이거 대문 앞 빨랫줄에 걸어 놔. 아주 잘 보이게! 짐승 새끼들이 이 근처론 얼씬도 못 하게 말이야!"

"어마!"

석하는 호탕하게 웃으며 내게 거대한 가죽을 건넸다. 사자 사냥에 가장 큰 기여를 한 석하는 짙은 갈색 갈기와 두툼한 주둥이까지 그대로 남아 있는 단단한 가죽을 받아 왔다.

"이건 어째요?"

나는 내 허벅지보다 굵은 사자 다리 한 짝을 내밀며 물었다.

"뭐…… 대충 소금 간 하면 되지 않겠어? 그게 중요한 게 아니야! 들어 보라고."

나는 급하게 불을 피워 꼬치에 꽂은 다리를 돌려 가며 구워 냈다. 석하는 그런 내 곁에서 끊임없이 침을 튀겨 가며 사자와의 사투를 묘사했다. 그는 흥분으로 얼굴이 벌겋게 상기되어 있었다. 그는 저놈이 번개보다 빨랐다느니, 천둥보다 커다란 울음소리에 오줌을 지릴 뻔했다느니 과장 섞인 말을 계속 주절거렸지만 내 귀엔 "녀석이 어쩐지 오늘은 눈을 마주쳤는데도 뭐에 홀린 것처럼 가만히 있더라고."라는 말만 들렸다. 그때부턴 뜨거운 불씨와 속에서 올라오는 흥분의 조짐 때문에 내 얼굴에도 열이 올랐다.

……혹시 내가 헬멧을 쓴 덕 아냐? 선희 말대로 헬멧 덕분에 내가 길몽을 꿔서?

"어쩌면…… 내 덕일지도 몰라요."

"뭐?"

그는 내 말은 듣는 둥 마는 둥 옷을 갈아입고는 세상이 이 지경이 되니 사자 고기도 먹어 본다며 무슨 덕이라도 본 듯 낄낄댔다. 나도 석하가 몸 전체를 들썩거리며 거대한 다리를 뜯고 있는 모습이 원시인같이 우스워서 그를 따라 깔깔 웃었다.

석하는 기분이 좋은지 이가 나간 컵 두 개에 옥수수를 우려낸 물을 콸콸 쏟아 담더니 내게 한 잔을 권했다. 나도 이번에는 거절하지 않고 신이 난 그를 따라 유쾌하게 잔을 부딪쳤다. 코가 얼얼해지고 화해지는 야릇한 향기가 낯설었지만 석하를 따라 꿀떡꿀떡 삼켰다. 맛은 끔찍했지만 한껏 정신이 몽롱해지는 게 나쁘지 않았다.

석하는 금방 취해서는 입을 반쯤만 열고 하소연하듯이 웅얼거렸다.

"난 사실 가족을 꾸리는 게 꿈이었어. 아무도 무시 못하는 완벽한 가족 말이야. 세상이 요지경이 되고 평생 이룰 수 없는 꿈이 되어 버렸지마는……."

나는 석하의 아련한 눈빛이 헬멧을 바라보고 있음을

알아챘다. 규칙도 논리도 없는 꿈속에서 그는 현실에서 이룰 수 없는 꿈을 대신 꾸고 있었던 걸까. 난 내 남편이 조금 안쓰럽게 느껴졌다.

"못 이룰 거 있나요. 안 될 거 뭐 있어요. 우린 이런 상황에서도 모두의 축복 속에서 호화롭게 결혼했는데. 식량도 풍족하고 안전한 집도 있고. 최선을 다하면 못 할 게 어딨어요."

"그래! 망할 지하에서부터 지상에서까지 대장 노릇하고 있는 내가 가족을 못 꾸릴 건 없지! 이 문석하한테 모자란 건 없다 이 말이야!"

맥주 한 컵을 다 마셔 버린 석하는 부스스 일어나 토마토 하나를 베어 물곤 우물거리더니 그윽한 눈빛으로 나를 바라보았다. 나도 몽롱해진 눈으로 그를 응시했다. 그는 앉아 있던 내 몸을 번쩍 들어 올렸고 난 그의 허리에 다리를 감았다. 헬멧을 처음 쓴 날, 나는 그가 고자가 아니란 걸 알았다.

✦

헬멧 속에서 떨어져 죽기만 하면 현실에 복이 온다니. 헬멧에 빠져 사는 선희의 허무맹랑한 소리라고 생각했지만 헬멧을 쓰고 잔 날엔 어김없이 석하가 나를 찾았다. 친절하진 않아도 호탕했고, 아침밥 따위로 구박하는 일이 없었다. 그가 사냥 후 배분받아 오는 고기는 누린내가 나지 않았고 부드러웠다. 내가 집어 드는 토마토는 퍼런데도 시지 않고 달았다. 복이라 불러도 될까 싶을 정도로 소소했지만 운수 좋은 날이 계속 이어지자 헬멧을 쓰지 않는 게 손해란 생각이 들었다. 어차피 잠은 자야 하잖아? 그렇다면 잘 때도 노력하는 게 맞지.

틈만 나면 헬멧 안으로 들어갔다. 한여름에 내리는 정신 나간 비와 눈과 우박에 몸이 으슬으슬 떨릴 때도, 밖에서 잡다한 허드렛일을 하느라 팔뚝이 저릴 때도, 시간이 생기면 어김없이 헬멧 안에 있는 문을 밀었다.

몇 번 들어왔다고 저승 세계처럼 스산하던 그곳이 따뜻한 집처럼 느껴졌다. 저택에 있는 고풍스러우면서 촌스러운 소파나 책상마저도 묘하게 사람 사는 냄새가 나는 게 마음에 들었다. 이곳에선 TV를 틀면 13년 전에 유행했던 영화나 예능 프로그램이 끝도 없이 재생됐고 기름진 음식을 떠올리면 소파 테이블에 음식이 마술처럼 생겨났다. 맛이 느껴지진 않았지만 식감만큼은 생생해서 부드러운 닭고기와 소고기 스테이크를 질겅질겅 씹었다. 넝마같이 해진 옷만 입다가 옷장 속 꽃무늬 원피스를 입게 되었을 땐 눈물도 흘렸다. 생물이 아닌 것은 헬멧 안에서 뭐든 가질 수 있었다.

"아니, 근데 루이. 생각해 보니 웃기잖아? 고작 남편 놈하고 자는 게 나한테 돌아온 복이란 말이야? 아니, 아니지. 사자를 잡았지. 그럼 내 공이나 마찬가진데! 그걸 모두가 알아야 하는 건데."

루이는 자기 허벅지를 벤 내 머리를 쓰다듬으며 고개를 격하게 끄덕였다. 나는 헬멧 안에 있던 유일한 사람 모양 AI에 루이라는 이름을 붙였다. 루이는 헬멧 바깥에서 일어나는 이야기를 좋아했는데, 꼭 할머니가 들려주는 동화라도 듣는 것처럼 동그래진 눈으로 내 이야기에 집중했다.

"세상이 이 꼴 나지만 않았어도 로또를 사는 건데. 너무 늦게 헬멧을 갖게 되어선."

"로또?"

"뭐, 그래도 온 세상이 다 망해 버렸는데 살아남은 것도, 우연히 귀한 헬멧을 줍게 된 것도 다— 내가 열심히 산 덕이겠지. 남편은 고마운 줄 알아야 해. 나 같은 복덩이랑 결혼했으니."

루이는 발음이 생소하고 재미난지 입을 동그랗게 모으고 '로또'라는 말을 반복하며 고개를 갸웃거렸다.

"뭐, 그래도 남편이 그렇게 나쁜 사람은 아니야."

루이는 항상 곱고 깔끔한 모습으로 날 기다렸다. 나체가 보기 숭해서 옷을 입혀 주었더니 집마다 놓여 있던 휴머노이드 로봇과 다를 바 없어 보였다. 남편이 사냥만 갔다 오면 내게 영웅담을 늘어놓듯, 나는 헬멧에 들어와서 루이에게 바깥에서 있었던 일들을 주절주절 쏟아 냈다. 아무도 범접할 수 없는 꿈속일 뿐이라고 생각하니 선희에게 하지 못할 말들도 루이에게만큼은 맘 편히 할 수 있었다. 더군다나 허상일지라도 내 취향으로 잘생긴 남자가 맹목적으로 나를 따르며 우러러보는 모습은 지금껏 느껴 보지 못했던 해방감을 가져다줬다.

사실 나는 이미 루이의 몸에도 손을 댔다. 관절마다 흐릿한 경계가 있어서 프랑켄슈타인을 떠올리게 하는 루이는 유령 같기도, 관절 인형 같기도 했는데, 보다 보니 그것만의 매력이 있었다. 무엇보다 턱이 거칠하고 손톱 밑이 거뭇한 석하와 달리 루이는 살균된 의료 로봇처럼 하얗고 매끈했다. 헬멧 안에선 배고픔도 졸림도 느껴지지 않았지만 열기와 촉감만은 생생하게 느껴졌다. 헬멧 속에서 시간을 보낼수록 루이는 나를 보고 배우며 나날이 인간다워졌고, 쓸 만해졌다.

아, 행복했다. 분명 나는 기복祈福을 위해 헬멧을 썼는데, 막상 꿈속에 들어오면 자꾸만 그것을 잊었다. 어여쁜 시폰 란제리와 따끈한 딸기 홍차, 초콜릿 코팅된 마들렌……. 리얼한 쾌락과 쾌적함은 혼자 나무 동굴에 있는 전차 안에 드러누워 과거를 회상할 때와는 차원이 다른 안정감을 가져다주었다. 현실이 시궁창 같아도 헬멧 속에 들어올 수만 있다면 다 괜찮은 거 아닐까 싶을 정도였다.

그러다 문득, 시끄러운 바람 소리가 들리지 않는다는 것을 깨닫는다. 들고양이가 문을 긁어 대는 소리도, 사과 바구니 근처를 맴도는 파리의 날갯짓 소리도 들리지 않는다. 행복 속에서 꺼림직한 괴리감을 느끼는 순간은 헬멧 속에 들어온 지 열두 시간쯤 되면 꼭 찾아왔다. 내가 안고 있는 루이의 매끄러운 살결이 한낱 실리콘 표면처럼 느껴질 때면 현실을 깨닫게 됐다.

달콤한 꿈에 젖어 있는 것은 최선아의 삶이 아니야.

“선아 님?”

나는 루이의 손을 뿌리치고 벌떡 일어나서 직육면체 방 안에 있는 유일한 창문으로 향했다. 그러곤 문을 열어재끼고 손을 그러모았다.

몇 번이고 꿈속의 내 몸을 던질 테니 현실의 내게 복이 찾아오기를.

루이는 그런 나를 망연자실한 표정으로 가만히 바라볼 뿐이다.

✦

한낮의 햇빛 열기가 사그라들 시기에 자꾸 속이 불쾌하고 메스꺼웠다. 구역질이 나서 식사를 거의 못하는 날이 이어졌다. 여자들은 여름이 가기 전에 식량을 최대한 저장해 두느라 바빴는데, 몸이 안 좋다며 연겨푸 수집조에서 빠지니 날 보는 시선이 고까웠다. 하지만 그것도 잠시, 생리를 두 번 걸렀다고 말하자 전직 간호사이자 23구역의 의료를 담당하고 있는 50대 여자가 집에 들러서 나를 진료했다.

"선아 씨가 임신했어요!"

여자의 축 처진 눈가 주름이 확신을 가진 순간 하늘로 치솟았고, 그녀는 23구역을 방방 뛰어다니며 외쳤다. 23구역의 여자 남자 노인 청년 할 것 없이 모두가 석하와 나의 집에 뛰어 들어와 축복했다. 춤을 추고 노래를 부르고 부둥켜안고 누군가는 조심스러워 내게 손도 대지 못했다. 석하는 다른 남자들과 모여 맥주를 마시다가 뒤늦게 소식을 듣곤 집으로 돌아와 멍하니 내 얼굴과 배를 번갈아 보았다. 그는 환하게 웃거나 울지는 않았지만 그의 눈에 어떠한 결의가 차오르는 것이 느껴졌다. 나는 모두에게 주목받는 상황에 어리둥절했다. 모두가 내게 대단하고 장하다고 말했다.

누군가 밖에 나갔다가 건물 잔해에 파묻혀 돌아오지 못해도 덤덤하던 그들은 우리 집이 인류의 마지막 요새라도 되는 양 주변에 덫을 놓고 돌아가며 경비를 섰다. 석하 덕에 안 그래도 풍족하던 식량 창고는 23구역 여자들이 가져다준 열매와 고깃덩이들로 두둑해졌다. 석하는 헬멧을 뒤집어쓰는 시간이 3분의 1로 줄었고, 대신 나와 함께 시간을 보냈다. 습관처럼 거칠게 내 팔목을 잡으려다가도 힘을 풀었고, 바닥에 발끝만 대고 사뿐사뿐 걸어 다녔다. 삭은 노란 장판에 굴러다니던 먼지와 진흙 덩이들은 누가 치웠는지 깔끔해졌다.

모두가 아기의 울음소리를 고대했다. 어떻게 키울지에 대해 걱정을 하는 사람은 없었다. 23구역 모두가 함께 힘을 모아 키울 것을 믿어 의심치 않았다. 나 또한 헬멧을 쓰지 않는 날이 많아졌다. 나는 최선을 다해 내 몸과 아이를 보존하는 데 애썼고, 그것만으로 23구역 모두는 미래에 대한 희망을 가졌다. 헬멧 속 허상이 아닌 진짜 행복을 꿈꾸며.

✦

거대한 바람이 집을 손에 쥐고 뒤흔드는 것만 같았다. 태풍이 찾아오는 시기에는 여자도 남자도 밖에 나가지 않았다. 학교나 각자의 집이 휩쓸리지 않기를, 비를 피하는 사나운 짐승들이 찾아오지 않기를 바라면서 숨을 죽이고 기다렸다.

2주 가까이 집에만 박혀 있게 된 석하는 퍽 다정하게 굴었다. 얄팍한 눈썹이 내려가고 입가에 미소를 띤 것만으로도 인상이 바뀌어서, 머리에 얹고 다니는 네모난 고글이 동그랗게 보일 지경이었다. 그는 자기가 이래 봬도 회색 도시에서 아이들 교육을 맡았었다며 아직 납작한 내 배에 손을 얹고 자식 교육관을 연설하듯 읊었다. 아는 동요가 없다며 서툴게 생일 축하 노래를 불러 줄 때는 그의 삐죽한 머리조차 귀엽게 느껴졌다. 나는 요즘 그에게 실없는 농담을 하거나 투정을 부리기도 했는데, 그런 일상이 영락없는 부부의 모습 같아서 낯설면서도 고양감이 느껴지곤 했다. 그는 내게 성취감, 그 자체나 다름없었다.

석하는 손수 토마토를 씻어다 주겠다며 싱크대 앞에 섰다. 대야에 정화된 물을 반쯤 받아서 투박한 손을 찰박거리는 모습이 참으로 기특했다. 최근 그는 여느 때보다 기분이 좋아 보였다. 그래서 나도 웃으며 가볍게 물었다.

"존이 누구야?"

내 앞에 커다란 손이 휘둘러지면서 새빨간 토마토가 물에 빠지고 사방에 물이 튀겼다. 철사의 끄트머리가 호를 그리며 드러나 있던 내 팔뚝에 빨간 줄을 그었다. 정작 그의 손은 내 몸에 닿지 않았는데도 내 몸은 꼴사납게 휘청거리며 엉덩방아를 찧었다. 나는 석하가 나를 패대기치고 때리기라도 한 듯이 놀라 그를 바라봤다. 석하는 대야 속 찰랑거리는 물보다 더 흔들리는 눈을 하고는 고함을 내질렀다.

"내 헬멧 건드렸어?!"

"아니, 당신이—."

"혹시, 다른 사람들한테 말했어?"

"……아니."

그는 쿵쾅대며 높은 인쇄기 위로 기어 올라갔다. 그가 거칠게 팔다리를 휘적이는 바람에 덮어 둔 천 자락이 엉망진창으로 구겨져 그 아래에 있던 녹슨 인쇄기가 훤히 드러났다. 그는 베개 위에 놓여 있던 헬멧을 허둥지둥 뒤집어썼다.

배가 아팠다. 아니, 가슴이 아픈 건지 배가 아픈 건지 가늠이 안 됐다. 명치 부근부터 사타구니 근처까지 묵직했다. 나는 매끄러운 바닥에 덩그러니 넘어진 그대로 거미처럼 앉아 있다가 인쇄기 위로 기어 올라갔다. 석하의 옆에 나란히 누워 연두색 꽃가루가 소복이 내려앉은 헬멧을 들어 머리를 욱여넣었다.

"왜 한참을 안 오셨어요. 홍차랑 마들렌 준비해 놓고 기다렸는데."

나는 말갛게 웃고 있던 루이에게 다가가 있는 힘껏 정강이를 발로 찼다. 루이가 바닥에 엎어졌을 땐 단단한 베개를 차는 것 같았다.

"루이, 있잖아. 사람을 발로 차는 꿈은 길몽이래."

바닥에 있던 루이를 일으켜서 돼지 흉내를 시켰다. 돼지가 뭔지 모르겠다기에 나도 꿀꿀거리며 루이와 함께 기어다녔다. 그다음엔 용이 승천하는 꼴로 둘이서 직육면체 저택을 뛰어다녔다. 분변을 촌스러운 벽지와 고풍스러운 가구들에 짓이겨 발랐다. 루이는 놀이터에서 흙놀이를 하는 어린아이처럼 분변으로 성을 쌓다가 내게 자랑하듯 보여 줬다. 나는 그것을 보곤 둑이 터진 것처럼 눈물을 쏟아 냈다. 루이는 더러운 검은 장갑을 낀 제 손을 바라보며 허둥대더니 내게 물었다.

"왜 울어요?"

나는 루이가 내게 건넨 질문에 답했다.

"꿈은 보통 반대니까."

"그치만 지금은 이곳에 있잖아요. 울지 말아요."

"다 내 탓이야. 더 최선을 다했어야 했는데. 바보같이 들떠서는!"

나는 눈가에서 실리콘의 감촉이 느껴지자 더 엉엉 울어 댔다. 루이는 내가 망설임 없이 창문으로 뛰어가 몸을 던질 때보다 괴로운 표정으로 내 눈물만 닦아 댔다. 나는 기껏 짠 눈물을 남이 닦아 버리면 무효가 될까 싶어 루이의 손을 뿌리치고 혼자 울었다.

창문에서 뛰어내리지 않았는데도 갑자기 눈이 번쩍 뜨였다. 누군가 나를 거칠게 뒤흔들어 깨우고 억지로 헬멧을 벗긴 탓이었다. 나를 깨운 건 선희였다. 선희는 입이 넓적해져선 눈물을 글썽이며 웅얼거렸다.

"언니…… 놀라지 말고 들어. 석하 씨가 죽었어."

태풍이 잦아들지도 않았는데 갑자기 밖으로 나간 석하가 너구리 다섯 마리한테 물려서 죽었단다. 나는 비어 있는 옆자리를 바라봤다. 매일 베개 위에 내 헬멧과 나란히 있던 그의 헬멧이 보이질 않았다. 선희는 제 남편이 죽은 듯이 바닥에 주저앉아 흐느꼈다. 묵직했던 배에서 찌릿한 통증이 밀려왔다. 나는 배를 부여잡고 집 안을 살폈다. 집 안 어디에도 석하의 헬멧이 없었다.

그는 내게서 존을 숨기기 위해 열 개의 보닛을 뛰어 넘고 토끼와 고라니가 물을 마시는 동굴로 간 모양이었다. 분명 이성적인 판단이 아니었지만 이상한 조급함이 그를 움직였을 것이다. 그러던 중 광견병에 걸린 너구리들이 순식간에 달려들었고, 사자를 잡았다던 손에는 둥근 헬멧이 들려 있었을 것이다. 그는 차마 존을 손에서 놓지 못했을 거고, 팔과 다리와 모가지를 사정없이 물어뜯겼을 것이다.

꿈에서 너무 울어서 그런가. 내 눈에선 눈물이 나오지 않았다.

✦

23구역의 사람들은 차기 리더가 죽었다는 사실만으로 비애에 빠졌다. 미래와 희망을 모두 잃은 듯이 굴었다. 선희를 제외하곤 아무도 내 배 속에 있는 아이에게 관심을 주지 않았다. 배신감이 들었다. 그 사람이 뭐라고. 아내보다 헬멧 속 애인의 안녕이 더 중요한 사람인데! 빽 하면 손을 휘둘러서 생채기를 만드는 사람인데!

다시 모두가 관에 누워 죽음을 기다리듯 헬멧을 쓰고 하루를 보냈다. 늙은 리더는 기침이 더 늘었다. 이제는 침에 피가 섞여 나오는데도 봐 주는 사람이 없었다. 석하와 나의 결혼식에서 주례를 봐 주고 아기가 태어나면 길한 이름을 지어 주겠다던 그는 세 번쯤 집에 찾아와 어깨를 토닥여 주고는 제자리로 돌아갔다. 선희는 끈질기게 찾아왔지만 나는 말없이 누워 헬멧을 쓸 뿐이었다.

헬멧 안 저택은 이제 빈틈없이 먹색이었다. 나는 질펀한 소파에 누워 서랍에 있는 담배를 꺼내 물었다. 내뿜는 담배 연기에 높은 천장이 뿌옇게 흐려졌다. 귀한 담배를 뻑뻑 피워 대도 몸에 나쁠 거 하나 없으니 헬멧 안은 부정할 수 없는 유토피아였다. 하지만 역시 이건 최선아의 삶이 아니었다.

"내가 원하던 건 이런 게 아니었어."

온통 검은색이 되어 버린 루이는 검은 눈동자로 나를 바라보며 말의 저의를 헤아리듯 고개를 갸웃거렸다. 분변으로 뒤덮인 루이의 몸은 선명하게 인간의 꼴을 하고 있어서 불쾌하기 짝이 없었다. 루이는 무언가 원하는 게 있는 것도 같았고 질문을 하고 싶은 것도 같이 입을 뻥긋거리다가 이내 포기한 듯 다물었다. 루이는 나와 처음 마주쳤을 때처럼 그저 볼링핀같이 저택 한가운데에 서 있었다. 꼭 엉망진창이 되어 가는 현실에 좌절한 듯이. 나는 그런 루이가 꼭 나와 같이 현실을 살아가는 생물 같아서 불쾌했다. 루이는 내게 기복의 수단일 뿐이어야만 했다.

나는 부러 더 매정하게 그를 등지고 창문 밖으로 몸을 던졌다. 몸이 끝없이 하강하는 느낌은 몇 번을 경험해도 익숙해지지 않았다. 단지 꿈속의 죽음이 현실에 길함을 가져다준다던 할머니의 말에 기대어 현실로 돌아갈 뿐이었다.

헬멧 밖으로 나오면 목 가죽이 앞뒤로 들러붙어 있었다. 부엌으로 비적비적 걸어가서 석하가 생전에 제조해 둔 맥주를 홀짝였다. 흙과 골판지로 둘러싸인 집은 시도 때도 없이 바뀌는 날씨에 대응하지 못하고 찜통과 냉동고가 되길 반복했다. 층간 소음보다 끔찍하게 쿵쿵대는 기린 새끼들은 빨랫줄에 걸어 둔 사자 가죽이 보이지도 않는지 집 주변을 어슬렁거리면서 혀를 날름거렸고, 털 달린 거미와 새끼를 잔뜩 밴 암컷 쥐들이 더위를 피해 집주인처럼 부엌을 쏘다녔다. 이것 또한 최선아의 삶이 아니었다.

헬멧 안에서 온갖 길몽을 만들어 냈다. 유토피아를 악취로 뒤덮어 가면서 최선을 다했는데 현실은 여전히 개떡 같았다. 무언가, 큰 변화가 필요했다. 이제는 절망이 되어 버린 잉태나 남편에 대한 복수 같은 것 말고 세상이 뒤집힐 만한 아주 큰 행운, 혹은 구원이 필요했다. 그건 분명 돼지나 용, 분변 따위의 길함과는 달랐다.

나는 메탄올로 몽롱해진 머리를 뒤흔들며 어릴 적을 떠올렸다. 선희를 내 옆에 눕히는 할머니. 할머니가 내 배와 선희의 배를 번갈아 토닥이며 나지막한 목소리로 읊어 주던 해몽. 끔찍하고 더럽다며 귀를 막던 선희와 믿지 않는다면서도 귀를 막지 않았던 나.

"죽거나 죽이는 꿈은 아주 길한 꿈이니 무서워할 것 없단다, 아기 천사들."

나는 유리병 안에 남아 있던 액체를 마지막까지 입에 털어 넣고 부쩍 흐릿해진 눈을 껌뻑이며 헬멧을 찾았다. 나는 언제나 최선을 다하는 최선아이고 결의에 찬 지구의 생존자이며 최고의 남자라고 불리던 남편의 아이를 가졌다. 나라면 세상을 바꿀 수 있다.

헬멧 안쪽에 밴 지릿한 땀 냄새를 맡으며 어둠 속에 들어갔을 때 난 다시 온통 흰색인 세상에 떨어졌다. 공중에 매달린 새하얀 돌계단 위에 내 몸이 펄럭였고 뒤집힌 손발톱을 제자리에 돌려놓았다. 뻐근한 목을 이리저리 돌리다가 건조한 돌덩이를 차근차근 밟으며 위로 향했다. 그러면 직육면체의 거대한 저택이 보이고 나는 감촉조차 익숙해진 문고리를 잡았다. 그것을 가볍게 밀면 온통 검은색인 내부가 펼쳐진다.

그런데 밀고 들어간 저택 안이 이상하게 밝았다. 여전히 검었으나 희미하게 빛이 들어오고 있었다. 정면에 밀어야 열리는 단 하나의 창문이 열린 채로 덜렁거렸다. 그곳엔 끔찍하게 더럽혀진 유토피아와 볼링핀처럼 멍하니 서 있는 나밖에 없었다.

루이가 없었다. 루이가 창문 밖으로 몸을 던졌다. 나는 나의 마지막 수단이 복을 빌 거라곤, 꿈에서도 몰랐다.

고상한 누에

사랑하는 어머니. 세상은 이해되지 않는 일투성입니다. 왜 사랑받고자 하면서 화를 내는지?

"난 항상 네 냅킨까지 가져다줬잖아, 그렇지?"

"미안해."

눈썹이 내천자가 되도록 한껏 내리되 입꼬리는 과하지 않게 앙다뭅니다. 눈동자가 그렁그렁하면 더 좋고, 손으론 치맛자락을 살짝 쥐어 올리죠. 내 생활에 매뉴얼이 있다면 그것은 순응과 순종. 초식 동물처럼 순하고, 아둔하게.

남자 친구인 류가 와인 바에서 파스타를 먹고 나오는 길에 나를 불러 세운 그 날은 한 치 앞도 분간하기 힘든 폭우가 내리던 날이었습니다. 장마라고 하기엔 늦여름이고, 가을비라고 하기엔 더위가 누그러들 생각을 안 하던 8월의 끝자락. 눈앞에 서 있던 류의 화 또한 누그러지긴커녕 더욱더 커져만 갔습니다. 그가 이지적인 이미지를 위해 쓴다던 알 없는 안경은 씩씩거리는 얼굴 근육을 따라 볼품없이 들썩였고, 살갗 밖으로 울룩불룩하게 핏줄이 치솟은 두터운 손은 삐죽거리는 투 블록 머리를 연신 쓸어 올렸습니다.

"내가 쪼잔하다고 생각하는 거 아니지? 난 지금 당연한 배려를 말하는 거야. 준 만큼은 못 돼도 반 정도는 받고 싶다고."

"응. 내가 미안해."

사과를 반복했음에도 류의 얼굴은 갈수록 빨갛게 달아올랐습니다. 바로 뒤편 유흥 주점의 뻘건 네온사인 때문에 그렇게 보이나 했는데, 아니었나 봅니다. 사람은 화가 나면 턱에 주름이 생기고 눈이 붉어지잖아요. 슬플 때도 그렇던데, 사랑이라고들 말하는 분노와 슬픔이란 구분하기가 참 쉽지 않은 일입니다.

"진짜 미안한 거 맞아? 그런데 어디 봐? 눈 굴리는 거 다 보이는데 왜 거짓말을 해?"

나는 그저 그의 뒤를 지나치던 쫄딱 젖은 고양이를 구경하고 있었을 뿐입니다. 그 고양이도 류의 얼굴처럼 빨갛게 물들어 있었습니다. 그건 분명히 네온사인 때문이었겠지요. 원래는 회갈색 바탕에 까만 줄이 그어진 평범한 고양이였을 겁니다. 빨갛게만 보였지만요.

"넌 그게 문제야. 다 너 잘되라고 하는 말인데, 제대로 듣지를 않잖아."

"제대로 듣고 있어."

"내가 저 고양이 새끼를 잡아다 죽여도, 그건 너 때문일 거야. 너를 위해서, 알아들어? 그만큼 난 너한테 진심이라고. 넌 나한테 그러면 안 돼. 너를 누구보다 사랑해 주고 있는 사람한테 이러면 안 되는 거라고."

만일 류가 고양이였다면 츄르 한 봉지로 이 지루한 싸움을 끝낼 수 있었을 텐데. 어쩌다 입을 닦는 티슈 한 장이 사랑의 증거가 된 건지 모르겠고, 지나가던 고양이를 죽이니 마니 하는 것이 류의 진심이 된 건지도 더더욱 모르겠습니다.

그나마 다행인 일은 문제 풀이에 정답이 있다는 것일까요? 보세요. 어머니처럼 하나하나 정답을 설명해 주지 않습니까? 어떤 것이 잘못된 건지, 내가 어찌해야 하는지. 그런 의미에서 류는 내게 최고의 남자 친구였습니다.

와인 바의 반쯤 접힌 천막에 의지하며 비를 피하고 있던 우리 몸은 바닥과 위에서 통통 튕겨 오는 빗물에 점점 축축하게 젖어 갔습니다. 내가 입고 있던 흰색 시폰 블라우스의 앞자락은 진해지다 못해 피부에 달라붙어 휘감기고 있었고, 샌들 바닥에 차오른 물 때문에 발가락은 퉁퉁 불고 있는 게 느껴졌습니다. 집까지 걸어가며 느낄 찝찝함 때문에 저도 모르게 한숨을 푹 내쉬어 버렸고, 그 바람에 류의 얼굴이 한층 더 검붉어졌습니다. 결국 그날은 길고 더운 도시의 밤 내내 류의 화를 받아 내야만 했습니다.

분명 어머니는 도저히 이해할 수 없는 일이라면 결국은 사랑 때문일 거라 하시겠지요. 압니다. 내가 별 탈 없이 살아가기 위해선 사랑받고, 사랑해야 한다는 것을. 사랑받기 위해선 고분고분하게 굴어야 합니다. 성가신 구애를 받을지라도.

✦

“도대체 뭐가 두려우신 거예요?”

어머니는 대답이 없으셨죠. 매일 밤 아홉 시에 안부 전화를 걸면서도 어머니의 첫 마디는 항상 긴장되고 떨리는 목소리로 “오늘도 별일 없었니?”였습니다. 나는 돌잡이를 할 적부터 아무것도 잡지 않고 오도카니 제자리에 앉아만 있던 아이였는데, 뭐가 그리 걱정되시는지. 팔과 다리가 애벌레의 몸처럼 울룩불룩하던 어린 시절부터 어머니의 동공과 목소리는 언제나 흔들렸습니다. 나는 애정 어린 눈빛과 목소리가 원래 그런 줄 알았지 뭐예요.

어머니는 나를 사랑하기 때문에 전화를 빼먹지 않는 거라고 하셨지만 함께 사는 것만큼은 거부하셨지요. 모자란 내게 조금 지치셨던 걸까요. 서른이 된 지금까지도 늘 평범하라던 어머니의 숙제를 이해하지 못하고 있으니 말입니다. 내게 평범이란 숙제는 피구를 하는 것과 같았습니다. 어머니가 그어 놓은 선을 밟지도 나가지도 않은 채 회피하는, 그런 일이요.

어머니, 나는 완벽히 평범이라 부를 수 있는 삶을 살아가고 있었습니다. 오늘도 오전 일곱 시에 일어나서 20분 동안 계란 한 알과 찐 단호박 반쪽을 먹었고, 출근 시간 10분 전에 회사에 도착했습니다. 점심시간 직전에 차장님이 점심 메뉴를 묻기에 '샐러드'라고 답했더니 양 눈썹이 내천자로 찌푸려지긴 했습니다만, 괜찮아요. 회사에선 '죄송합니다'를 세 번 반복하면 대체로 무난히 문제가 해결되거든요. 조금 우유부단한 체하면서 세 가지 메뉴를 제시하고, 그중 차장님의 동공이 커지는 식당으로 갔습니다. 그렇게 오늘도 시계가 여섯 시 삼십 분을 가리킬 때까지 장부 관리나 믹스 커피를 타는 일 따위를 하며 자리를 지키다가 “이만 일어납시다.”라는 부장님의 말을 듣고는 3분 후에 회사를 나왔습니다. 어머니의 안부 전화에 매일같이 말한 그대로이지요?

여느 때와 같은 하루를 보낸 퇴근길이었습니다. 나는 키 대비 평균 몸무게라는 56.3킬로그램을 유지하기 위해 버스를 타지 않고 30분가량 걸어서 집으로 갑니다. 하늘은 아직 여름이라고 초저녁까지 훤하게 밝았습니다. 나는 여름의 퇴근길을 좋아합니다. 야근만 하지 않는다면 훤하게 바닥 아래가 보여서, 어릴 적 어머니가 바닥에 깔아 주었던 퍼즐 매트와 닮은 보도블록의 선을 완벽히 밟지 않을 수 있거든요. 그렇게 선과 선 사이를 밟으며 옅은 회색 담벼락으로 둘러싸인 구불구불한 골목으로 들어서면 누군가가 발을 맞추어 걷기 시작합니다. 이것은 어머니께 차마 말씀 드리지 못했던 사소한 일상입니다.

터벅터벅.

터벅터벅.

내 발소리를 따라 돌림 노래처럼 규칙적으로 들려오는 발걸음 소리. 한 달 즈음 됐을까요. 끈질기도록 졸졸 따라오지만 결코 열 보 안으로는 들어오지 않는 그 소리는 참으로 중간을 지킬 줄 아는구나 싶어서, 멋대로 친밀함을 느끼곤 했답니다. 분명 그도 나처럼 보도블록의 선을 결코 밟지 않는 사람이겠지요. 나는 그에게 '선'이란 이름을 붙이고, 거리를 유지하는 그와의 퇴근길을 즐겼습니다. 그런데 그건 나만의 생각이었던 걸까요?

처음으로 발걸음 소리에 변주가 생겼습니다. 발을 옮기는 간격이 조급하게 느껴졌습니다. 분명 소리가 나를 따라오는 느낌이었는데 이젠 내가 그 소리를 따라가야만 했어요. 점차 내가 뛰어야만 했을 때, 선은 내가 그어 둔 선을 넘었습니다. 그와 나의 간격이 다섯 보 정도가 되었을 무렵, 나는 멈춰 섰습니다. 발걸음 소리도 따라 멎었습니다. 슬쩍 눈을 흘겨 상가 건물 유리창을 보니 다섯 보 밖 전봇대 뒤편에 빨간 모자의 챙이 삐죽 나와 있는 게 보였어요.

"아, 집에 가야 하는데."

나는 하는 수 없이 오늘 계획을 수정해야만 했습니다. 그대로 바로 앞에 있던 카페에 들어가서 대충 저렴한 아메리카노를 시켰어요. 선의 발자취는 여전히 카페 앞 전봇대에 머물러 있었습니다.

나는 잠시 고민하다가 류에게 전화했습니다.

"류, 나 무서워. 누가 계속 쫓아와."

류는 절 위해 카페로 오겠다 했어요. 전화를 끊자 타이밍 좋게 진동 벨이 울렸습니다. 곧장 주문했던 아메리카노를 받으러 가는데, 직원의 표정이 영 이상했습니다.

나는 마찬가지로 이상한 표정으로 직원을 바라보다가 아, 하는 탄성과 함께 미소를 한껏 지어 보였지요.

"괜찮아요."

내 통화 내용을 들은 것 같았던 직원은 키도 작고 야리야리하게 생겨서 도움을 청해 보았자 지지부진할 것 같았거든요.

난 테이블에 앉자마자 뜨거운지 쓴지도 모를 아메리카노를 원샷 하고 1초에 다섯 번은 다리를 떨면서 류를 기다렸습니다. 금방 비어 버린 잔의 바닥을 눈에 경련나게 바라보면서 그냥 경찰에 신고할까 100번은 고민했던 것 같아요. 30분이면 도착했을 집에 들어가지 못한 지 한 시간째였거든요.

그런데 경찰에 신고는 좀, 그렇잖아요? 초저녁이라 주변에 사람들도 많았고, 스토커가 금세 도망가 버릴 수도 있고, 마땅한 증거도 없고 말이에요. 더군다나 신고를 해 버리면 본격적인 범죄 사건의 당사자가 되어 버리잖아요. 어머니의 당부와는 거리가 먼 삶이죠. 해서 핸드폰의 112를 누르진 않았어요.

저녁 일곱 시 삼십 분. 하늘이 붉어져 가던 때 드디어 류가 도착했어요. 서둘러 왔다고 하기엔 오래 걸렸지만 바로 안심됐죠. 류는 오자마자 씩씩대며 주변을 탐색하더니 3분도 안 돼서 빨간 모자를 잡아냈어요. 류의 다혈

질 기질이 어찌나 고맙던지. 그때만큼은 흉하게 벌게진 얼굴과 양쪽으로 벌어진 무식한 덩치가 믿음직스러웠어요. 금방 잡힌 왜소한 스토커는 저항 없이 류의 핏줄 선 손에 이끌려서 카페 밖으로 나선 내 눈앞에 배달됐습니다.

류는 수상해 보이던 회색 후드를 젖히고 깊게 눌러쓴 빨간 모자를 벗겼습니다. 그런데 아니, 여자인 것 아니겠어요? 심지어 단정하게 자른 백금발의 짧은 머리와 이국적인 이목구비가 날 더 당황스럽게 했습니다.

'외국인이 왜 날 스토킹하지? 말은 통할까?'

머릿속에 각종 의문이 떠올랐어요. 하지만 류는 그러거나 말거나 나와 스토커의 팔을 양손에 세게 쥐고는 경찰서로 직진했습니다.

"아니, 류! 경찰서까지 가고 싶지 않다니까? 대화부터 해 보자."

"스토커하고 대화를 왜 해? 이 새끼는 혼나 봐야 돼."

류는 기어코 우리 둘을 질질 끌고선 경찰서 문을 열었습니다. 안으로 들어서자 씩씩거리던 성난 황소는 온데간데없어지고, 아주 젠틀해진 황소가 말했습니다.

"저기, 스토커를 잡아 왔는데 처리 좀 해 주시죠. 내 여자 친구를 계속 따라다녔답니다."

입구와 가장 가까이 서 있던 경찰은 믹스 커피로 얼

룩덜룩해진 종이컵을 앞니로 질겅질겅 씹다가 어리둥절한 표정으로 우리 모두를 나란히 의자에 앉혔습니다.

"이 여자분이, 저 여자분을 따라다녔다고요?"

"졸졸 쫓아왔어요. 동네를 두 바퀴 돌고 카페에 있는 동안 계속."

류가 입을 열기 전에 내가 사건의 경위를 말했습니다. 말하고 보니 참 별거 없더군요. 입 밖에 내뱉은 순간 괜히 류까지 불러서 일이 복잡해진 것 같아 후회되기 시작했습니다.

그 자리에 있던 모두가 스토커를 응시했어요. 류에게 붙들려 이곳에 끌려올 때까지 아무 저항도, 말도 없던 스토커의 목소리를 우리는 한마음 한뜻으로 기다렸습니다. 그리고 겨우 듣게 된 그녀의 말은 놀랍게도 또렷한 한국어였습니다.

"오해가 있으셨나 봐요. 전 매일 가던 길을 가던 것뿐이었는데."

"네……?"

"우연히, 오늘 산책을 좀 했고 우연히, 사거리 카페 앞에서 햇빛을 쐬고 있었는데. 저랑 동선이 같으셨나 봐요."

개소리. 나는 벙찐 얼굴로 천연덕스럽게 어깨를 으쓱이는 여자를 바라봤습니다. 차라리 외국인인지 혼혈인지 인종부터 다르게 생긴 이 사람이 길을 물어보려고 나를 쫓아왔다는 게 더 설득력 있었을 겁니다. 하지만 경찰의 눈은 스토커와 류, 두 쪽의 외모를 번갈아 보며 신빙성을 저울질하고 있는 듯 보였습니다. 난 그 스토커의 단정한 얼굴이 한몫했다고 생각해요. 누가 봐도 스토커처럼 생기진 않았거든요. 그리고 성질은 누르고 있지만 누가 봐도 마초 스타일인 류는 여자 친구를 과보호하는 극성 남자 친구로 보였겠지요. 경찰은 류를 힐끗대며 내게 조심스럽게 물었습니다.

"서에 오기 전에 대화는 해 보셨습니까? 혹시 남자분이 두 분을 억지로 데려온 것은 아니고요?"

"뭐요?"

흥분한 류가 제 성질을 이기지 못하고 자리에서 벌떡 일어나자 자리에 앉아 있던 경찰들이 다 함께 경계하며 일어났습니다. 다섯의 경찰에게 주목받은 류는 당황한 것 같았고, 그 순간을 놓치지 않은 스토커가 피니시를 던졌습니다.

"자기야, 저런 폭력적인 남자랑 사귈 바에야 나랑 사귀는 게 훨씬 낫겠어."

류가 거칠게 그녀의 멱살을 틀어잡았습니다. 경찰들이 달려와 덩치 큰 류를 말리기 위해 진땀을 빼야만 했죠. 정작 류를 흥분시킨 장본인은 커다란 손에 대롱대롱 매달려 있고, 소처럼 흥분한 류가 범죄자처럼 경찰들에게 제압당하는 우스꽝스러운 장면이 연출되더군요. 하지만 난 그 난리 통에도 스토커의 눈빛에 옭아매어져 피할 수 없었습니다. 그녀의 눈이 이상하게도 나를 사랑하고 있는 것만 같아서, 쭈뼛 척추에 소름이 돋았어요.

"거……! 오해로 빚어진 일 같은데, 좋게 좋게 끝내시죠. 밖도 훤하고 같은 여자분들 아닙니까. 보니까 이쪽은 어쩔 수 없이 협조하려고 오신 것 같은데……."

"뭐? 머리에 뇌 대신 우동 사리라도 들었어? 저 스토커 새끼가 하는 개소리를 믿는 거야, 지금?"

"류. 그만해. 난 괜찮으니까."

"괜찮긴, 뭐가 괜찮아!"

"내가 괜찮다잖아!"

류는 내게 배신이라도 당한 듯 거칠게 숨을 몰아쉬며 붉으락푸르락한 얼굴로 나와 경찰을 번갈아 쳐다보았습니다. 내가 류를 외면하듯 고개를 돌리자 그는 울컥한 표정으로 경찰서 문을 박차고 나가 버렸죠. 누가 보면 억울한 피해자가 류인 줄 알았을 거예요. 류를 말리던 살찐 경찰은 땀을 뻘뻘 흘리며 스토커에게 "괜찮으십니까?" 하고 물었고, 스토커는 처연한 표정으로 "괜찮아요."라고 답했습니다.

류가 나간 뒤 경찰서는 한순간에 정리된 듯 조용해졌

고, 스토커는 얌전히 철제 의자에 앉아 경찰의 지시를 따랐습니다. 형식적인 정보를 수집하는 경찰에게 또박또박 자신의 연락처와 주민 등록 번호를 말하는 그녀는 정말로 무고한 사람처럼 느껴졌습니다. 선이란 이름을 붙인 게 무색하게 그녀는 선이라곤 지킬 줄 모르는 뻔뻔한 사람이었던 거지요.

나도 이대로 찝찝하게 일을 마무리하고 싶진 않았지만, 문제는 벌써 시간이 여덟 시 삼십 분이란 점이었습니다. 나는 얼른 상황을 갈무리하고 30분 뒤에 오늘도 완벽히 평범한 하루를 보냈다며 어머니께 보고해야만 했어요.

결국, 우린 경찰의 주도하에 너무나 적당히, 예의 바르게 마치 상견례라도 하듯이 "아이고, 예." 추임새와 함께 악수하면서 서로 앞으로의 무궁한 행운을 빌어 주게 되었습니다. 선은 악수를 나누던 내 손을 놓지 않고 빙긋 웃어 보였습니다.

경찰서 문을 나서자 담배를 뻑뻑 피워 대고 있는 류가 있었습니다. 가까이 다가가자 흰자가 보이지 않을 정도로 충혈된 류의 눈이 날 바라봤어요. 그의 얼굴엔 여전히 잔뜩 힘이 들어가 있어서 화가 머리끝까지 차올라 있음을 알 수 있었지만, 뭐 어쩌겠나요. 경찰서 담벼락

앞에 담배꽁초나 던져 대며 화풀이를 하는 게 고작이었죠.

“너, 무서웠다며.”

“무서웠지.”

“근데 왜 아무 말도 안 해? 하던 일 다 제쳐 두고 달려온 내가 뭐가 되냐?”

“어쩌겠어. 조금 이상한 사람 같긴 하지만 직접적으로 해를 끼친 것도 없고……. 경찰도 좋게 좋게 끝내라잖아. 거기서 흥분해 봐야 손해야.”

“나보고 뭐라 하는지는 못 들었어? 하, 폭력적? 애당초 내가 왜 폭력적으로 굴었는데. 게다가 뭐? 자기야—? 너한테 눈웃음 살랑살랑 쳐 가면서 지랄하는 걸 가만히 내버려 두라고?”

“……류. 지금 여자한테 질투하는 거야?”

“말했지. 여자고 남자고, 내 거 넘보는 꼴 못 본다고.”

그래요. 류는 항상 깔끔하고 순도 높은 사랑에 집착했습니다. 나는 주변에 사람이라곤 없는 인간이었으니, 지금껏 인간 관계가 문제 됐던 적은 없었는데. 불행히도, 사랑에 대한 그의 과다한 집착을 오늘만큼은 도저히 참고 넘어갈 수 없었습니다.

“류. 내가 지금 몇 시간째 집에 못 돌아가고 있는지 알아?”

"뭐?"

"헤어지자, 류."

시종일관 심술이 가득 차 있던 류의 얼굴에 낯선 주름이 졌습니다. 있는 대로 눈이 커져서는 턱이 쭈글쭈글했어요. 바르르 떨리는 입술이 옹알이를 하듯 오물거리더니 듣기 싫은 쉰 소리를 냈습니다.

"갑자기 무슨 소리야?"

"너 때문에 계획에 없던 경찰서까지 갔다 왔잖아. 아무것도 해결은 못 하고. 그냥 잡아서 겁만 줘도 됐을 걸."

류는 내게서 들릴 리 없는 소리라도 난 것처럼 애꿎은 주변을 두리번거렸습니다. 그 커다랗던 목소리는 온데간데없이 입만 뻐끔댈 뿐이었죠. 난 그런 류를 내버려두고 등을 돌렸습니다.

단 두 시간 동안의 일로 차곡히 쌓아 온 평온한 일상이 무너진 것만 같아 피곤함이 몰려왔습니다. 한평생 제자리를 유지하기 위해 노력해 오던 내 등을 누군가 떠민 것 같은 불쾌감도 들었죠. 그래도 괜찮았습니다. 서두르면 어머니의 전화를 제자리에서 받을 수 있었으니까요.

나는 실로 그것만으로 괜찮았습니다. 오늘도 어머니를 위해 평범하게 살았노라 말할 수 있다면. 그리고 통화 끝에 "사랑한다, 딸."이란 떨리는 음성을 들을 수만 있다면.

✦

오후 열 시. 침대에 누워 꼬빡 잠들어 있었는데, 호탕하게 울려 대는 차 경적 소리에 화들짝 놀라 일어나야만 했습니다. 커튼을 젖혀 보니 소음의 정체는 류의 새빨간 차량이었죠. 차창 밖으로 얼굴을 내민 류는 어찌 된 일인지 여느 때보다 환한 표정을 짓고 있었습니다.

"겉옷만 걸치고 나와 봐! 선물이 있어!"

한숨이 절로 쏟아져 나왔습니다만, 더 시끄러워지기 전에 얇은 카디건만 걸치고 서둘러 현관문을 나섰습니다. 그때 내 눈 밑은 분명 시커먼 주름이 깊게 파여 있었을 거예요.

밖으로 나가자 류가 뿌듯한 얼굴로 차에 기대어 서 있었습니다. 그가 트렁크를 열어 보라기에 '꽃과 풍선이라도 튀어나오려나?' 싶었죠. 딱히 무엇이 나오든 이별의 말을 철회할 생각은 없었지만, 이왕이면 실용적인 것이면 좋겠다, 적당히 반응해 주고 달래서 얼른 돌려보내야지, 생각했어요. 어차피 류는 아이 같은 면이 있어서 한 번 이별을 고하는 것만으로 끝날 거라고 기대하진 않았거든요. 오늘 당장 다시 찾아올 줄은 전혀 몰랐지만.

묵직한 트렁크 뚜껑이 천천히 올라갔습니다. 하지만 하늘로 떠오르는 풍선 따위는 없는 텅 빈 하늘만 보일 뿐이었죠. 이내 다시금 눈을 내리깔고 나서야 선물을 발견할 수 있었습니다.

기다랗고 곧게 뻗은 단 하나의 흰색 덩어리.

새하얀 천으로 뒤덮인 채 마디마디가 로프로 묶인 커다란 누에 한 마리가 트렁크를 가득히 채우고 있었습니다. 작은 관만 한 크기에 고여 있던 뜨거운 공기가 훅— 하곤 코로 들어왔을 때, 나는 단번에 그것의 정체를 알 수 있었습니다. 낮에 맡았던 향수 냄새가 풍겼거든요. 나는 멍하니 류가 실어 온 선물을 바라보다가 흰 천 아래서 태동하듯 무언가가 꿈틀대었을 때, 퍼뜩 정신을 차리곤 차분히 트렁크를 닫았습니다. 누에가 놀라지 않도록, 살며시, 조용하게.

옆에 서 있던 류를 운전석 안으로 꾹꾹 밀어 넣곤 물었습니다.

"대체 뭐야?"

그는 가슴을 부풀리며 어깨와 입꼬리를 씰룩거리더니 별것 아니라는 말투로 답했습니다.

"뭐긴, 선물이라니까."

"아니, 왜 이런 거냐고."

"반응이 왜 그래? 그대로 끝내는 건 말도 안 되잖아? 내가 대신 복수해 준 거야. 경찰서 나와서 이 새끼 미행하느라 너도 못 데려다준 거 아냐. 내가 설마 널 그냥 혼자 보내겠어? 아, 그래서 너 삐친 거구나?”

“류, 내가 한 말 못 들었어?”

“무슨 말?”

“헤어지자고 했잖아.”

“아, 그거. 일부러 그런 거잖아. 날 시험하려고.”

어이가 없었습니다. 그가 똑똑한 체하며 치켜올리는 빌어먹을 안경테를 집어 던져 부러뜨리고 싶을 정도로 난 조급해져 있었습니다.

“봐, 난 널 위해 이렇게까지 할 수 있어.”

“죽일 거야?”

“설마, 겁만 준 거지.”

그제야 숨을 몰아 쉬었습니다. 그려 놓은 선 밖으로 발이 삐져나왔다 해도, 아무도 보지 못했다면 다시 수습할 수 있으니까요.

“이건 선물도 복수도 아냐, 류. 혹여라도 나를 위해서 이랬다고 하지 마.”

“……야. 말은 똑바로 해. 당연히 널 위해서 이런 거지.”

“이게 어떻게 날 위한 게 돼.”

“너, 안 좋은 표정으로 경찰서에서 나왔잖아.”

“내가 언제?”

“너 경찰서 처음 가 봤지? 잔뜩 굳어 가지곤 경찰이 말하는 대로 한 거잖아. 귀엽기는. 하지만 그러면 안 되지. 피해를 받았으면, 제대로 돌려줘야 하는 거야."

피해를 받았으면 돌려줘야 한다, 라. 내게 피해를 주고 있는 건 대체 누구인지.

"서프라이즈잖아. 표정이 왜 그래? 이런 미친년은 그냥 보내 줘선 안 돼. 똑같이 공포를 느끼게 해 줘야 다신 그딴 짓을 안 한다고. 너도 겁 좀 줘서 돌려보냈으면 했다며."

류는 흥분한 기색이 역력하게 씩씩거리며 공감을 원하듯 눈을 동그랗게 뜨고 내게 호소하듯 말했습니다.

"어떻게 하고 싶어, 응? 뭐든 말해. 거지 같은 밥버러지 새끼들. 너가 무서웠다는데, 하는 게 뭐야?"

류는 오늘 하루 동안 끝을 모르는 듯 저 바닥 아래로 치닫고 있습니다. 항상 칭찬을 아끼지 않았던 것이 이렇게 거창한 선물로 돌아올 줄 알았다면 비가 쏟아지던 그날, 버리는 거였는데.

류는 고개를 숙이고 있는 날 보고는 겁먹은 토끼를 구경하는 것처럼 느물거리는 표정으로 내 손을 덥석 잡았습니다.

"아— 너 걱정돼서 그러는구나? 걱정 마. 따라가서 지켜봤는데 혼자 살더라. 스토킹이나 하는 음습한 새끼, 분명 연락하고 지내는 사람도 없을 거야."

"당장 걸리지 않았다고 문제가 없는 게 아니잖아."

"괜찮아, 괜찮아. 저 여자, 기절시킨 것도 아닌데 저 꼴로 묶일 때까지 저항 하나도 안 하던데 뭘."

"그게 아니라……."

"그게 아니면, 너 또 내 앞에서 다른 사람 걱정하냐?"

"……성가시네."

류는 나지막이 소곤대듯 말한 내 말을 똑똑히 들었는지 얼굴이 벌게지다 못해 검붉은 색이 되더니 턱에 있는 대로 주름을 지었습니다. 아, 또 이런 식. 다 맞춰 주고, 띄워 주다가 한 번 귀찮다는 내색을 하면 이러더군요.

기분이 상할 대로 상한 류는 트렁크 개폐 스위치를 누르더니 차 문을 박차고 나갔습니다. 금방이라도 이곳에서 여자를 풀어 줄 낌새를 보이기에 나도 덩달아 밖으로 나갔죠.

"뭐 해? 여기, 주거 지역이야. 사람도 카메라도 수두룩해."

"네가 이 여자를 하도 걱정하길래 당장 풀어 주려고 했지. 그걸 원한 거 아냐?"

"아니야, 아냐 류."

"널 끔찍이 생각하는 나는 성가시고, 정신 나간 스토커는 걱정되디?"

"내가 미안해 류. 내가, 내가 생각이 짧았어."

밤 동네가 떠나가라 버럭 화를 내는 류 때문에 구경

꾼들이 슬그머니 창문을 열었습니다. 커튼과 블라인드 사이사이로 수많은 눈들이 우릴 쳐다보고 있었어요.

건물 위쪽을 연신 힐끗대던 내 눈앞에 류의 커다란 그림자가 드리웠습니다.

"다 널 생각해서 한 일이야. 오늘 하루 종일 다 널 사랑해서 한 일뿐이라고."

"응, 알지. 다 알아, 류. 내가 잘못했어."

1층 센서 등이 켜지며 노란 불빛이 류와 나 사이를 비췄습니다. 트렁크 문에 가려지지 못한 누에의 꽁무니가 누렇게 뜬 것을 보자마자 망설임 없이 팔을 뻗어 류를 껴안았어요. 그러곤 빌라 사람들에게 선포하듯 큰 목소리로 외쳤습니다.

"사랑해! 사랑해, 류!"

노란 불빛 바깥으로 나오던 검은 슬리퍼가 움찔 멈춰 서더니,

"씨발, 꼴값들 떠네. 사랑싸움 좀 조용히 합시다!"

투덜거리곤 스스륵 자취를 감췄습니다.

TV를 보다가 가차 없이 채널을 돌리게 되는 건 식상한 러브 스토리 아니겠습니까. 내가 까치발을 들어 입을 맞추고 그에 맞춰 류가 깊은 키스를 퍼붓자, 창문 사이로 보이던 눈들이 하나둘 사라졌습니다.

나는 류에게 등을 압박당한 채로 누에가 심심한 듯

꿈틀거리고 있는 것을 바라보고 있었습니다.

✦

오후 열한 시 즈음. 우린 근처 바닷가로 차를 몰았습니다. 방파제 위까지 파도가 솟아오르는 그곳은 온통 어둠으로 가득 차 인적이 없거든요. 자고로 바다 도시엔 짙은 고요함이 없지요. 파도 소리가 소란스럽게 귀를 울리는 그곳에는 우리가 어떤 이야길 나누더라도 엿들을 이가 없을 겁니다. 그래도 혹시 몰라 깊숙이, 깊숙이 들어갔죠. 언젠가 류가 가로등 좀 설치해 달라고 민원을 넣은 게 반년째라며 욕지거리를 했었는데, 그 어둠에 도움을 받을 줄은 꿈에도 몰랐어요. 우리가 커다란 누에 한 마리를 트렁크에 싣고 있을 줄은 아무도 모를 거예요.

류는 의기양양하게 네모난 턱을 부풀리고는 시원하게 핸들을 돌렸습니다. 내 몸은 구불구불한 길을 따라 풍선 인형처럼 매가리 없이 좌우로 기우뚱거렸죠. 류는 그가 모는 차에 갇혀 그저 흔들거리는 내가 뿌듯한 모양이었습니다.

"저기 류."

"왜 불러?"

류는 그새 마음이 한껏 풀렸는지 노래 부르듯 답했습니다.

"날 왜 좋아해?"

"갑자기 그런 건 왜 물어?"

"외모?"

"뭐, 물론 넌 예쁘기도 한데……."

그는 손가락으로 핸들을 두어 번 톡톡 치더니 별안간 너털웃음을 치며 답을 이었습니다.

"넌 내가 본 사람 중에 가장 게을러."

"내가?"

"엉. 게을러서, 세상에 관심 있는 거라곤 아무것도 없는 것 같거든. 그런 와중에 나만 보면 웃어."

"그게 좋아?"

"응, 좋아. 넌 나만 좋아하잖아."

그래. 그렇구나.

우린 등대 불빛마저 닿지 않는 곳에 차를 세웠습니다. 앞은 바다요, 뒤는 나무가 우거진 언덕이 서 있는 곳. 혹시 몰라 라이트와 시동도 끄고 달빛과 옅은 핸드폰 불빛에만 의지해서 트렁크를 열었습니다.

누에의 한쪽 모서리를 만지작거리며 로프를 풀자 예상했던 얼굴이 보였습니다. 낮에 보았던 단정한 모양새는 온데간데없이 부스스하게 헝클어진 선은 마치 어린 아이처럼 보이더군요. 흰색 허물에 둘러싸인 채 잠자코 눈을 감고 있던 그녀는 빛이 보이자마자 번쩍 눈을 뜨고 데굴데굴 눈알을 굴리더니 바로 나를 찾았습니다. 나는 너무나 놀랐지만 그쪽이 더 무섭지 않았겠어요? 입을 틀어막고 있던 박스 테이프를 떼어 주면 소리부터 꽥 지를까 싶어서 침착하게 사과부터 건넸습니다.

"미안해요. 의도했던 바는 아니에요."

"이 정도로 끝난 걸 다행으로 알아라. 다시 스토킹 같은 짓 하지 말고."

류가 험악한 얼굴을 들이밀며 사족을 덧붙였으나 별안간 납치된 선은 차분했습니다. 류의 말마따나 반항할 기색 하나 보이지 않았어요. 더군다나 그녀는 놀란 것 같지도, 공포스러워 보이지도, 하다못해 황당해 보이지도 않았습니다. 이상하죠. 전봇대 뒤에서 류에게 잡힌 채 경찰서에 끌려갈 때처럼 그녀는 이상하도록 얌전했어요.

류가 뭉툭한 손톱으로 그녀의 볼에 찰싹 붙어 버린 테이프 끝을 긁어 냈습니다. 끈적거리는 테이프가 입술의 표피를 함께 뜯어내자, 갑자기 눈앞에 피가 섞인 침덩이가 날아가더니 류의 볼에 찰싹 붙었습니다.

"납치범 새끼가 뭐라는 거야. 넌 좆됐어, 멍청한 새끼야.”

그녀는 돌변했습니다. 말갛게 웃고 있던 그녀의 얼굴을 본 것을 마지막으로 난 류의 팔에 대롱대롱 매달릴 수밖에 없었습니다. 순식간에 흥분한 류는 그녀의 목을 졸랐고, 난 갑자기 정상적인 사람처럼 행동하는 선이 당황스럽기 그지없었어요.

그만하라며 류의 팔을 있는 힘껏 당겼지만 역부족이었고, 선은 새빨개진 얼굴로 끝까지 웃어 보이며 류를 조롱하다가 눈이 뒤집혔습니다. 나는 다급히 숨을 확인했고, 다행히 류가 중간에 손에 힘을 푼 모양이었어요. 내가 잡아당겨서 그 정도로 끝났던 거겠죠.

류는 당황한 것처럼 보였습니다. 선의 목에서 손을 떼고는 손톱을 물어뜯으며 근처를 빙글빙글 돌았죠. 그제야 자신이 한 일을 자각한 모양이었습니다. 모자란 놈.

그래도 다행이라면 다행이었달까요. 드디어 귓등으로도 듣지 않던 내 말을 들을지도 모르니까요. 안 그래도 난 이 상황을 벗어나기 위해 열심히 머리를 굴리던 중이었습니다. 류한테 적금이라도 깨서 돈으로 해결을 해 보라고 할까. 혹은 날 사랑한다고 했으니 나는 이만 집으로 돌려보내 달라고 할까.

하지만 류는 정신 사납게 주변을 돌던 것을 멈추고 기대와 다른 말을 꺼냈습니다.

"이렇게 된 거, 이대로 바다에 버리자. 아니, 아니지. 금방 육지로 떠내려올 수도 있으니까……. 그냥 여기 언덕배기로 올라가서 묻어 버리자."

"저기 류, 지금 너무 흥분한 것 같아. 진정하고, 일단 다른 방법을 생각해 보자, 응?"

이곳엔 빨건 빛을 내는 네온사인도 없는데, 류의 얼굴은 온통 붉은색으로 물들어 있었습니다. 그리고 이미 결정이라도 한 듯 내 말을 듣지도 않고 기절한 선의 얼굴을 다시 허물 안에 욱여넣으며 로프로 묶어 버렸죠.

그 모습을 보곤, 나는 원만하게 해결하길 포기했습니다. 핸드폰을 열고 112를 눌렀죠. 나는 사실 아무것도 한 게 없으니까요. 더 이상 류의 장단에 맞춰 줄 이유도 없고요. 그런데 주위를 가득 채웠던 거친 파도 소리가 거짓말같이 고요하게 잦아들었고, 번호를 누르는 키패드 진동 소리는 믿기 힘들 정도로 크게 울렸습니다.

웅, 우, 웅.

류는 짐승같이 뒤를 돌아 내 핸드폰을 뺏어 들었습니다.

"너도 공범이야."

✦

자정 40분 전. 우린 차 트렁크에 있던 비상용 손전등과 삽을 들고 흰 누에를 짊어진 채 언덕을 올랐습니다. 바다와 맞닿아 있던 볼록 솟은 언덕은 생각보다 험하고 높아서 작은 산을 오르는 것 같았습니다. 최대한 높은 곳까지 가야 했는데 중턱부터 벅차서 다리가 더 이상 움직이지 않았어요. 너무…… 피곤했습니다. 지금은 이불을 턱 끝까지 덮은 뒤 눈을 감고 있어야 할 시간이었으니까요.

류는 헉헉대는 날 보고는 자신이 더 위쪽에 가서 땅을 파고 있을 테니 여기서 잠자코 여자를 감시하고 있으라며 으르렁거리곤 성큼성큼 풀을 헤치며 가 버렸습니다. 막상 류가 땅을 파기 시작한 건 내가 있는 곳에서도 어렴풋이 보일 만큼 많이 떨어지지 않은 곳이었지만요. 류도 알고 있었던 겁니다. 내가 할 수 있는 것이라곤 아무것도 없다는 사실을요. 핸드폰도 빼앗겨 버린 마당에 운전도 할 줄 모르는 나는 어두컴컴한 언덕 중턱에서 덩그러니 서 있을 수밖에 없었습니다.

뻑뻑해진 눈을 꿈뻑이며 류의 실루엣만을 좇고 있을 때, 낮고 칼칼한 목소리가 밑에서 들려왔습니다.

"당신은 공범이 아니게 해 줄게."

소리의 근원지는 곱지 않은 흙밭에 고상하게 누워 있는 누에였습니다. 누에는 조금씩 꿈틀거리더니 수줍게 목소릴 가다듬었어요.

"크흠, 음. 목에서 피 맛이 올라오네."

나는 얼굴 부위로 추정되는 누에의 끝마디로 손전등을 비췄습니다. 파하! 하고 호쾌하고 시원한 소리와 함께 "눈 부셔!"라고 외치는 누에의 얼굴은 분명 웃음으로 가득했습니다. 손전등 불빛으로 생긴 회색 그림자가 흰 천 너머로 곱게 휜 눈꼬리를 선명히 그리고 있었거든요. 나는 조심스레 얼굴 쪽 로프와 천을 풀어냈습니다. 그러자 그녀는 또 나를 곧장 바라보며 말을 이었습니다.

"날 풀어 줘. 이제라도 함께 도망쳐서 저놈만 신고하면 되잖아? 난 자기 원망 안 해. 저놈만 감옥에 보내 버리고 우린 제자리로 돌아가면 되는 거야."

'제자리'. 그것은 무엇보다 나를 흔드는 단어였습니다. 나는 이 황당하고도 억울한 상황에서 한시라도 빨리 벗어나고 싶었고 누에를 풀어 주는 건 그녀의 말대로라면 가장 합당한 선택이었습니다. 하지만.

"거짓말."

난 이 눈을 압니다. 철저히 학습해서 만들어 낸 눈. 그녀는 깊게 쌍꺼풀 진 눈을 동그랗게 뜨더니 푸훗, 작게 웃었습니다.

"자기야, 날 의심하지 마. 나만이 자기를 이 상황에서 구해 줄 수 있잖아. 이대로 저 남자와 공범이 되면 자기는 영원히 벗어날 수 없어."

"신고해도 류는 끝까지 나를 물고 늘어질 거예요. 그냥 이대로 당신이 죽는 게 편할 것 같아요."

"내가 저 남자를 죽일게."

그녀는 눈을 접으며 산뜻하게 말했습니다.

"번거롭게 왜 그래야 해요?"

"가장 깔끔하잖아. 자기는 피 한 방울 안 묻히고 끝나지. 공범이니 뭐니 하는 성가신 일도 없을 거야. 자기를 위해서라면 손에 피 좀 묻히지 뭐."

"날 위해서라는 말, 지긋지긋하니까 꺼내지도 말아요."

선은 크게 이빨을 보이며 능글거리는 표정으로 강조하듯 말했습니다.

"난 자기를 공범으로 만들지 않을게."

멀찌감치에서 땅을 파고 있는 류의 검은 형상이 보였습니다. 나는 선의 얼굴과 류의 그림자를 번갈아 바라보다가 누에를 감싸고 있는 로프를 하나둘 풀어냈습니다.

"역시 저 미친 애정 결핍 황소보다는 내가 좋지?"

"아니. 이쪽이 깔끔할 것 같아서."

조용히 흰색 허물을 벗고 자리에서 일어난 선은 옷을

툭툭 털며 고쳐 입고는 빙긋 웃어 보였습니다.

"걱정하지 말고 기다려, 자기야."

선은 여유롭게 호주머니에 손을 넣은 채 류가 있는 위쪽으로 올라가기 시작했습니다. 나는 그 자리에서 도망가지도, 돕지도 않았어요. 잔인한 영화의 클라이맥스를 기다리는 관객처럼 우두커니 서 있을 뿐이었죠. 나는 공범이 아니니까요.

이상하지요. 더 이상 평범하다고 할 수 없는 하루였습니다. 하지만 어머니, 걱정하지 않으셔도 됩니다. 눈앞에서 펼쳐지던 것은 진부한 러브 스토리일 뿐이었으니까요. 한 여자를 차지하기 위해 종말로 치닫는 두 기사님의 이야기라고 할까요? 날 선 비명 하나가 우거진 나무를 타고 하늘로 사라졌고, 저 멀리 파도 소리에 삼켜졌습니다.

결말로 치닫는 절정은 허무하도록 짧았고, 얼마 지나지 않아 작은 실루엣이 무대 아래로 내려왔습니다. 나를 사랑한다던 류의 피를 뒤집어쓴 채 말이죠. 어머니가 내게도 애인이 생겼다며 눈물까지 흘리셨는데, 아깝게 됐지요.

선은 마치 암컷에게 구애하기 위해 매력적인 깃털을 뽐내는 공작새처럼 팔을 벌리며 다가왔습니다.

"자기야."

다정하고 허스키한 목소리가 나를 불렀습니다. 손전등 불빛을 스포트라이트 삼아 당당히 내려오던 선의 오른손엔 피가 뚝뚝 흐르는 커터 칼이 들려 있었어요. 그녀는 계획된 해피엔드를 맞이한 사람처럼 후련하고, 우쭐대는 태도로 나를 마주했습니다. 그러곤 성큼성큼 가까이 다가와 류에게 빼앗겼던 내 핸드폰을 건넸습니다. 탁하고 질척한 피가 잔뜩 묻어 화면도 제대로 보이지 않았지만요.

불쾌했습니다. 검붉은 피로 뒤덮인 핸드폰이 평범과 거리가 멀었던 류의 새빨간 차량같이 느껴져서. 그녀에게서 풍기는 지릿한 피비린내도, 땀에 전 내 티셔츠의 쉰내도, 바닷물을 머금은 꿉꿉한 짠 내도 하나같이 자극적이라 불쾌했습니다.

콧잔등을 잔뜩 찡그린 채 한숨을 내쉬자 선은 나를 걱정하는 것처럼 다정한 목소리로 말했습니다.

"걱정 마. 저 모자란 놈팡이를 찾을 사람은 당신밖에 없을 거니까."

"걱정 안 해요."

"내가 무서워지진 않았고?"

어느새 선이 눈앞에 다가왔습니다. 내 볼을 살며시 쓰다듬는 그녀의 손은 빠르게 피가 도는 게 느껴질 만큼 뜨거웠습니다.

"왜 날 쫓아다녔어요?"

"응?"

"날 좋아해요?"

몸을 맞대고 있지 않음에도 그녀의 쿵쿵대는 심장 소리가 규칙적인 파도 소리와 함께 귓가를 울렸습니다. 그녀는 대답 없이 크게 갈비뼈를 열어재끼며 숨을 거칠게 몰아쉬었고, 내 눈을 똑바로 바라봤습니다. 경찰서에서 보았던 소름 끼치던 사랑의 눈빛은 착각이 아니었습니다. 30년 동안 받아 보지 못했던 사랑을 그녀의 눈에서 보았습니다. 내가 줄곧 류 앞에서 연기해 오던 사랑이 아니라 아마도 진실로 순도 높은 사랑.

선은 영악하고, 계획적이고, 여유로운 구애를 할 줄 아는 고상한 누에였습니다. 류는 그것도 모르고 아둔한 번데기로 둔갑한 그녀를 선물이랍시고 내 앞에 데려왔으니, 꼼짝없이 그녀가 허물을 벗고 날개를 다는 걸 도와줄 수밖에요.

선은 사랑에 빠진 여고생처럼 수줍게 읊조렸습니다.

"자기는 누구보다 부지런해. 결벽에 가까운 완벽을 추구하는 모습이 나와 똑 닮았어. 잃어버린 자매라도 찾은 것처럼. 자기와 내가 함께한다면 퍼즐을 맞춘 듯이 완벽하게 들어맞을 거야."

류는 내가 게을러서, 선은 내가 부지런해서 사랑한다

고 말합니다. 그 둘은 각자 다른 사람을 사랑한 걸까요? 난 그 어느 쪽에도 속하지 않는 것이 목표인데, 역시 난 어머니의 숙제를 잘 수행하고 있던 것일지도 모릅니다.

선은 나를 자매라고 지껄이던 것이 무색하게 진득한 욕망을 내비치며 몸을 붙여 왔습니다. 땀으로 끈적이는 그녀와 나의 볼이 맞닿고, 내 둥근 어깨가 그녀의 볼록한 가슴 사이로 들어갔습니다. 그녀는 입술을 벌린 채 음미하듯 호흡하다가 내 귓가에 속삭였습니다.

"그런데 딱 한 가지 봐 줄 수 없는 흠이 있었지. 왜 저런 한심한 남자랑 연애한 거야?"

"……연애하면 사랑받을 수 있잖아요."

"농담이지? 알잖아, 계속 지켜본 거. 저 남자는 너를 사랑하지 않아. 사랑받고 싶어 하는 어린애일 뿐이지."

"류한테 사랑받고자 한 적 없어요."

"그럼 누구의 사랑을 말하는 거야?"

나는 본능적으로 입을 다물었습니다. 선은 자신이 모르는 것에 조금 흥분한 듯했고, 손에 쥔 내 머리칼을 잡아당겼습니다.

"내가 자기를 구해 줬잖아. 저 남자한테도, 곤란한 상황에서도."

"그 곤란한 상황을 만든 건 바로 당신이잖아요."

"만약 자기가 저 남자를 조금이라도 사랑했다면, 저

남자가 조금이라도 쓸 만했다면 나도 지켜보는 걸로 만족했을 거야. 내가 선을 넘은 건 모두 자기를 위해서라고."

"신기하네요. 나를 사랑한다고 말하는 사람들은 하나같이 화법이 똑같아요."

"……그래. 날 미워하려면 해. 하지만 자기의 일상을 지킬 수 있는 사람은 나라는 걸 기억해."

"협박도 사랑 때문이라고 할 셈인가요?"

"물론. 사랑은 원래 선을 지키는 게 불가능한 거야."

"……그렇군요."

그녀는 눈도 깜빡이지 않고 나를 바라보다가 손아귀에 실린 힘을 풀며 말했습니다.

"뭐, 됐어. 일단 저것부터 좀 정리하지."

선은 언덕 위를 가리켰어요.

"저건 역시 묻는 게 나을 것 같거든. 재가 파 놓은 구덩이에 적당히 구겨서 넣으면 돼."

그거 아시나요? 사람의 팔과 다리를 써는 소리는 양배추를 써는 소리와 같다고 합니다. 커터 칼밖에 없던 우리는 삽으로 내리쳐서 몸을 접는 게 고작이었지만요. 새삼 비명만 안 지른다면 참 다를 것이 없습니다. 인간도, 감정 없는 양배추도. 그러니 알아 주세요. 비명을 안 지르는 몸뚱이를 땅에 묻는 일은 어머니의 선을 넘은 게 아닌 거예요.

✦

새벽 한 시. 한 치 앞도 잘 보이지 않는 밤이었습니다. 우린 서로의 손을 잡아 주며 커다란 바위 위로 올라갔어요. 차를 타기 전에 파도가 몰아치는 곳으로 가 핏물이 진득거리는 손이라도 씻기 위함이었죠. 하지만 까딱 잘못하면 파도에 잡아먹힐 것만 같아, 번갈아 가며 서로의 팔을 잡아 주기로 했습니다.

내가 먼저 몸을 앞으로 주욱 빼곤 깊이를 알 수 없는 검은색 물에 슬며시 손을 가져다 댔습니다. 얕은 물에 찰박찰박 대충 담그려고 했던 것과 달리 거칠게 다가오는 파도는 발과 어깨 할 것 없이 적셔 댔어요. 그래도 덕분에 땀이나 흙, 피 따위로 범벅된 몸이 짜디짠 소금물에 희석되고 소독되는 것만 같았죠.

선은 물에 젖은 생쥐 꼴이 된 나를 보며 키득거렸습니다. 정도를 모르고 계속 어깨를 들썩이기에 "당신 차례예요." 하고 그녀의 어깨를 꾹 아래로 눌렀습니다. 내가 그녀의 왼쪽 팔을 쥐어짜듯 부여잡자 뭐가 그리 우스운지 손을 씻는 데는 집중하지 않고 계속 몸을 휘청거리며 웃어 댔어요.

선은 아름다웠습니다. 과연 그녀는 볼품없이 앞머리가 축 내려앉아도, 엉덩이를 주욱 빼곤 주저앉아 있어도, 빨래를 하는 아낙네보단 물장구를 치는 고상한 여인처럼 보였죠. 너무나 아름다운 그 모습을 보면서, 나는 물을 수밖에 없었습니다.

"수영, 할 줄 알아요?"

파도 소리 때문에 내 목소릴 듣지 못한 선은 뒤를 돈 채였고, 난 그녀의 손아귀에서 내 손을 빼냈습니다.

툭,

내 손을 찾던 선을 내쳤습니다. 기울어진 바위 위에서 너무나 작은 힘에 고꾸라진 그녀는 바위에 머리를 부딪히고 구르더니 검은 물에 빠져 허우적댔습니다. 그녀의 손끝이 바위 끝자락을 겨우 붙잡았으나 배고픈 파도의 힘이 더 셌고, 아름다운 누에나방은 속절없이 날개를 푸드덕거렸습니다. 파드득, 파드득.

고치에서 탈피한 아름다운 해충이 잠겨서 사라지는 데에는 그리 긴 시간이 필요하지 않았습니다. 아마도 곧 떠올라 아름다운 바다의 부표가 되어 드넓은 곳을 떠다니겠지요.

어머니가 그러셨죠. 평범하라고. 선을 넘어선 안 된다고.

오늘 일로 깨달았습니다. 어머니가 주신 숙제엔 선을

없애는 일도 필요하다는 것을요. 피구를 할 때 제자리에서 있기 위해선 상대를 맞춰 없애야 하는 것처럼, 소거법도 답을 찾기 위한 방식 중 하나니까요. 선을 지우면, 그리고 그것을 들키지만 않는다면, 나는 언제나 선과 선 사이에 있을 수 있는 거잖아요.

이제야 어려운 숙제를 끝마칠 수 있을 것만 같은 기분이 듭니다.

어머니. 저는 앞으로도 언제나 사랑받기 위해 노력할 거예요. 칭찬, 해 주실 거죠?

작가의 말

새벽 다섯 시. 한 시간은 뒤척이다가 겨우 선잠에 들었는데, 열어 둔 창문을 투두둑 때리는 거친 빗소리에 무거운 눈꺼풀을 들어 올려야만 했습니다. 방 안이 평소보다 더 어두웠습니다. 아니나 다를까 하늘에 구멍이라도 뚫린 것처럼 비가 쏟아졌죠. 비적비적 발을 끌며 걸어가 비가 들어오는 창문을 닫았습니다.

몸은 천근만근인데 영 다시 눕고 싶지 않았습니다. 이불은 눅눅하고 머리는 감은 지 얼마 되지 않았는데도 축축한 듯 기름졌습니다. 맥주라도 마시면 좋을 텐데. 얼음장처럼 얼린 잔에다가 원샷. 하지만 비 오는 새벽에 나갈 만큼의 의욕은 없었고, 체질상 술을 끊은 지도 오래였죠. 결국 집필실 책상에 놓여 있던 미지근한 물만 들이켜고 침대에 풀썩 누웠습니다.

머리맡 충전기에 꽂혀 있던 핸드폰을 들어 한동안 켜 보지 않았던 SNS에 들어갔습니다. 본능처럼 손가락을 내리면서 밀린 근황들을 탐방했습니다. 다들 즐거워 보였습니다. 의무와 책임 따위 없다는 듯, 오늘을 즐기는 사람들. 우울한 글마저도 수많은 위로가 달리는 가상의 세상.

핸드폰 전원 버튼을 톡, 하고 누르자 캄캄한 눈앞이 펼쳐졌습니다. 어두웠습니다. 어둠에 익숙해지길 기다리며 눈을 끔뻑이다가 이내 포기하고 눈앞을 팔로 덮었습니다.

자자. 바른 생활이라도 해야지.

이 책의 대부분은 연희문학창작촌의 집필실에서 쓰였습니다. 집필실은 덥수룩하게 정리되지 않은 가지들이 무성한 소나무들 사이에 둘러싸여 햇빛이 들지 않는 7평 방이었습니다. 일몰 때 조각조각 들어오는 주홍빛과 새벽에 아스라이 밝아 오는 푸른빛이라도 보기 위해 있는 대로 블라인드를 올리고 생활했습니다만, 어두컴컴한 창은 집필실 안쪽만을 비췄습니다. 밤에 글을 쓰는 부엉이 인간인 저는 고즈넉한 창작촌의 모습 대신 제 모습을 바라보며 이야기를 쓴 것이지요. 그렇습니다. 이 책은 자화상을 그리는 방식으로 쓰였습니다.

돌아보면 저는 여름마다 불안했습니다. 여름이면 벌써 한 해가 반절이나 지나 버린 거잖아요. 여름은, 아무것도 변하지 않은 내 모습에 조급해지는 계절이었습니다. 흔히 여름을 열정의 계절이라고 하는데, 그거 순 거짓말이라고 생각합니다. 불안해서 다들 바쁜 것뿐이라고요. 일단 전 그렇습니다.

여름 햇빛은 찬란하게 빛나지만 한편으론 여느 계절보다 짙은 그늘을 만듭니다. 저는 어두컴컴한 그림자 아래에서, 또 눅눅한 장맛비 속에서 피어나는 곰팡이를 발견했습니다. 가슴 한편에 자리 잡은 우울이란 곰팡이가 쾌청한 여름 풍경과 극명한 대비를 이루며 도드라지는 것입니다. 그 곰팡이 심정을 그러모아 이야기로 엮은 것이 책 한 권이 되었습니다.

저는 지금도 여름 구름을 품은 꾸물한 이야기를 만들며 지내고 있습니다. 수상한 내용의 메모장을 갖고 어쩐지 자신감이 결여된 모습으로 말이지요. 글을 쓰는 한 자신감을 갖기는 힘들 거라 생각합니다. 제 자신의 흠결을 낱낱이 파헤쳐 이야기를 만드는 편이거든요. 내가 아닌 척 진흙을 덕지덕지 발라도 보지만 치졸한 속내를 스스로 까발리고 있는 것과 다름없습니다. 여러분은 저와 비밀을 공유하게 된 것입니다. 기회가 된다면 여러분의 비밀도 제게 속닥거려 주세요.

눅눅하기 짝이 없는 소설집을 펼쳐 주셔서 감사합니

다. 여름 해가 눈부실 때면 이 책을 다시 찾아 주세요. 눅눅한 마음은 종이 위에 남겨 두고 다정한 여름을 보내셨으면 좋겠습니다. 지난한 여름에 이 책이 누군가의 동료 곰팡이가 되길 바라며 글을 마칩니다.

끝날 듯 끝나지 않는 2023년 여름의 끝에서
이부.

이 책을 후원해 주신 분들

ㄱㅎㅅ
강민주
겸
구 월
권효원
김아랑
김양택
김예림
김태경
누 진
느린_김병준
도우리
독서의흔적
마나파이
많취 미뭄몀
뮹 달
박유빈
박해든
백은우
비즈99
서 정
석 영
성 미
송바다
신형주
안정빈
양지우
오후의죽음
원익주미
윤 이

이민지
이서윤
이서윤
이선정
이수지
이승연
이 아
이원해

이윤재
이재남
이지수
임 발
임서현
임채영
정예담(책을사랑함)
조여정

하리보
하서영
하세은
항아리족발
황정희
Lㅇ딸기쵸코퐁듀vㅌ
WSI
Yk유

그리고 익명의 후원자분들

모두 감사합니다.

여름날에 핀 곰팡이 심정

초판 1쇄 발행 2023년 11월 6일

지은이 이부
편집·디자인 이부
표지 그림 샐녘
삽화 이부
교정·교열 에픽로그

발행처 선홍빛
출판등록 2021년 8월 12일 제 2021-000105호
이메일 thinking_hibou@kakao.com

ISBN 979-11-976754-2-3 (03810)

책값은 뒤표지에 있습니다.

이 책의 본문은 '을유1945' 서체를 사용했습니다.